치과전문소생술

Dental Advance Life Support

(DALS)

대한심폐소생협회
Korean Association of CardioPulmonary Resuscitation

치과전문소생술
Dental Advanced Life Support
(DALS)

초판 인쇄 | 2020년 06월 10일
초판 발행 | 2020년 06월 22일

저 자	대한심폐소생협회 , 대한치과마취과학회
발 행 인	장주연
출 판 기 획	장서준
책 임 편 집	박미애
편집디자인	주은미
표지디자인	김재욱
일 러 스 트	유학영
발 행 처	군자출판사 (주)

등록 제 4-139 호 (1991. 6. 24)

본사 (10881) **파주출판단지** 경기도 파주시 회동길 338(서패동 474-1)

전화 (031) 943-1888 팩스 (031) 955-9545

홈페이지 | www.koonja.co.kr

ISBN 979-11-5955-577-0

정가 20,000원

집필진

저자(가나다순)

감명환 서울대학교 치의학대학원 치과마취과학교실

강구현 한림대학교 강남성심병원 응급의학과

김승오 단국대학교 치과대학 치과마취과

김종빈 단국대학교 치과대학 소아치과

김현정 서울대학교 치의학대학원 치과마취과학교실

서광석 서울대학교 치의학대학원 치과마취과학교실

양훈주 서울대학교 치과병원 턱교정수술센터

지성인 단국대학교 치과대학 소아치과

감수위원

강정완 연세대학교 치과대학 구강악안면외과학교실

이미진 경북대학교 응급의학과

| 일러두기 |

본 매뉴얼은 치과전문소생술 과정의 자료집으로 2015 한국 심폐소생술 공용 지침(2015, 대한심폐소생협회), 기본소생술(대한심폐소생협회)을 기본으로 집필하였습니다. 미국심장협회, 유럽심장협회의 Guideline of CPR and ECC와 치과마취과, 치과응급처치의 최신 버전을 참조하였습니다.

의학은 지속적으로 발전하는 응용과학의 분야로 이 책을 통한 정보는 인쇄된 시점에서만 유효합니다. 내용에 대한 독자의 해석은 다양할 수 있고, 또한 새로운 의학 정보의 빠른 도입으로 실제 현장에서 적용할 때에 발생하는 문제는 이 책의 저자와 발행인에 있지 않음을 밝힙니다.

| 발간사 |

치과전문소생술 교육 교재 발간을 축하합니다.

2001년 창립된 대한치과마취과학회는 치과의료에서 국소마취, 진정법 등을 통한 통증과 불안 감소, 그리고 치과진료 중 응급처치에 대한 체계적이고 지속적인 학술 활동과 발전에 기여해 왔습니다.

2001년 치과의사들을 위한 심폐소생술 연수회를 시작으로, 2005년 정주진정법 연수회, 2012년 AHA ACLS provider 교육과 대한심폐소생협회 치과전문소생술(DALS) 분과위원장인 강구현 교수와 분과위원들의 노력으로 2016년 DALS provider 교육이 서울대학교 치의학대학원 DEST (Dental Emergency Simulation Training) 센터에서 처음 시행되었습니다.

DALS 프로그램은 치과진료실에서 흔히 발생하는 국소마취 후 실신, 과호흡, 알레르기 반응, 간질 발작 등 간단한 응급처치만으로도 위중한 응급상황을 예방할 수 있어 환자의 안전을 위해 매우 중요합니다. 더구나 고령화와 임플란트 치료 등의 조직 침습적인 치과 치료의 발전은 고혈압, 당뇨, 뇌혈관 및 심혈관계 질환을 가진 치과 환자에서 치과진료 중 심정지 등의 응급상황의 발생 가능성을 높이고 있습니다.

치과마취과학의 발전과 치과진정법의 적용은 치과공포증 환자, 소아 및 장애인 환자에게 고품질의 치과치료를 제공할 수 있게 되었으나, 호흡저하, 기도폐쇄 등의 상황에서 응급처치 교육 필요성을 높이게 되었습니다.

대한치과마취과학회는 치과치료 중 응급처치에 대한 효과적인 교육 프로그램 개발을 위해 지난 수년 동안 대한심폐소생협회와 함께 치과전문소생술 과정을 개발해왔습니다. 그 이후 더욱 개발하고 발전시켜 현재 대한심폐소생협회의 정규 교육으로 시행되게 된 것에 대하여 협회에 깊은 감사를 드립니다.

이번에 더욱 노력하여 치과전문소생술 교육 교재를 발간하였습니다. 끝으로 치과전문소생술 교재 및 프로그램 완성에 헌신한 관련 교수님들 특히 서광석 교수의 열정과 노고에 감사와 존경의 마음을 보냅니다. 이 프로그램이 국내 치과계뿐만 아니라 아시아, 더 나아가 세계 치과계에서 표준 응급관리 프로그램으로 자리잡기를 기원합니다.

2020년 5월

대한치과마취과학회 부회장 **김 현 정**

| 인사말 |

"치과전문소생술 교육 프로그램의 발전과 소생률 향상을 기원합니다."

대한심폐소생협회에서 미국심장협회(American Heart Association, AHA)의 전문소생술 교육프로그램을 국내에 도입된 지 많은 시간이 흘렀습니다. 그 이후로 전문소생술분야는 비약적으로 발전하고 표준화되고 활성화되었으며, 교육방법과 내용은 국내 전문소생술에 실로 큰 영향을 끼쳤다고 생각합니다. 전문소생술위원회에서는 새로운 프로그램을 위하여 한국전문소생술 분과위원회를 통하여 2009년 이후 '과학적이고, 실제 적용가능하며, 한국적 환경을 반영한 프로그램'이란 기본 개념으로 국내 의료환경에 특화된 한국전문소생술 교육을 시작하고 정착시켰습니다. 교육생의 수요에 맞게 미국전문소생술 프로그램과 한국전문소생술 프로그램 교육을 발전시키고 향상시키는 와중에 치과에서도 여러 심폐소생술이 필요하거나 응급상황이 발생하여 표준화된 교육프로그램이 필요한 것을 알게 되었습니다. 전문소생술위원회에 새로운 분과로 치과전문소생술위원회를 발족시키고 치과 응급환경 −심정지, 실신, 기립성 저혈압, 흉통, 천식 등− 에 특화된 치과전문소생술을 개발하게 되었습니다. 치과전문소생술은 한국 공용심폐소생술 지침과 치과의 특수한 응급상황을 고려하여 집필되었습니다.

한국형 치과전문소생술이 국내에 정착되고 확대되는 데 도움이 되고 발전하기를 기대합니다. 이 일을 위해 수고해주신 강구현 분과위원장님 및 김현정 교수님을 포함한 많은 집필진들 그리고 큰 관심을 보여주신 황성오 이사장님과 송근정 사무총장님께 깊은 감사의 말씀을 드립니다.

앞으로 치과전문소생술 매뉴얼은 국제가이드라인과 한국형 심폐소생술 지침에 근거하여 교육 프로그램 수정, 보완 및 향상에 최선을 다해 국내의 치과 현장에서 심폐소생술의 향상에 기여하고 발전하기를 기원합니다.

2020년 5월

대한심폐소생협회 전문소생위원회 위원장

연세원주의대 응급의학과 **김 현**

Contents

01

치과전문소생술(Dental Advanced Life Support, DALS) 소개

김현정

　치과 응급은 긴급(urgency)과 응급(emergency)으로 나눌 수 있다. 긴급이란 환자의 상태가 당장 위급하지는 않으나, 적절한 처치가 이루어지지 않으면 응급인 심정지가 발생할 수 있다.

　치과에서 가장 흔한 실신, 두드러기, 과호흡 증후군, 저혈당, 흉통(angina pectoris), 간질 및 천식 발작, 국소마취제 중독, 허혈 뇌졸중(ischemic stroke) 등과 같은 의학적 상황이 긴급이다. 치과에서 진성 응급은 심폐정지, 심근경색, 출혈성 뇌졸중(hemorrhagic stroke), 아나필락시스, 기도의 완전 폐쇄 등 환자의 상태가 위중하여 즉시 응급 콜을 하여야 하는 응급이다.

　치과는 외래 기반의 의료기관이므로 치과치료와 상관 없는 응급상황이 발생할 수 있다.

표 1-1. 치과에서 발생한 긴급과 응급[1]

응급 상황	건수(%)
실신	4,161 (30.1)
두드러기	2,583 (18.7)
기립성 저혈압	2,475 (17.9)
과호흡 증후군	1,326 (9.6)
저혈당 쇼크	709 (5.1)
흉통	644 (4.6)
간질 발작	644 (4.6)
천식 발작, 기관지 경련	385 (2.8)
국소마취제 중독	204 (1.5)
심근경색	187 (1.4)
아나필락시스	169 (1.2)
심정지	148 (1.1)

1. Malamed SF. Managing medical emergencies. JADA 1993;124(8): 40–53.

◑ 국외 현황

미국치과의사협회[2] 에 따르면 치과에서는 의학적 응급 예방, 긴급 상황 조기 발견, 응급상황에서의 처치, 응급약과 장비의 구비 등을 강조하고 있다. 2010년 미국 일리노이주는 깊은 진정을 시행하는 치과에서 자동제세동기뿐만 아니라 응급처치 계획서를 구비하라고 주법[3] 으로 규정하고 있다.

치과에서 행해지는 깊은 진정 중에는 소아는 성인에 비하여 기도폐쇄와 호흡부전이 보다 잘 발생하기에 주의를 요한다. 즉 미국에서 소아의 의료 과실 청구(malpractice claim)를 분석하면 성인보다 호흡기계 관련 사건이 더 흔하고, 이로 인한 사망률도 더 높다.[4]

전 세계적으로 소아전문소생술(Pediatric Advanced Life Support, PALS)과 같은 교육 이수가 깊은 진정을 시행함에 있어 필수 교육 프로그램으로 강조되고 있다. 우리나라에

---

2. https://www.ada.org/en/member-center/oral-healthtopics/medical-emergencies-in-the-dental-office

3. https://jada.ada.org/article/S0002-8177(14)63474-7/pdf

4. Morray JP, Geiduschek JM, Caplan RA, Posner KL, Gild WM, Cheney FW. A comparison of pediatric and adult anesthesia closed malpractice claims. Anesthesiology 1993; 78: 461-7.

서도 2014년 이후 대한치과마취과학회와 대한심폐소생협회가 공동으로 년 1~2회 주기적으로 PALS 교육을 제공하므로 치과의사 중에 PALS provider 및 강사들이 증가함에 따라 과거에 비하여 치과에서도 응급처치 질향상을 기대할 수 있는 여건이 마련되어 가고 있다.

❱ 치과에서의 심폐소생술 교육

2002년부터 대한치과마취과학회 주관으로 치과의사를 대상으로 기본소생술에 전문기도유지술이 결합된 형태로 2012년까지 심폐소생술 연수회를 진행해 오다가, 2012년과 2014년 서울대 치대에 미국심장협회(American Heart Association, AHA)의 기본소생술(Basic Life Support, BLS)과 성인에서의 전문소생술(Advanced Cardiac Life support, ACLS) 교육기관으로, 2019년 단국대 치대가 AHA 교육기관으로 지정되었다. 현재 대한치과마취과학회는 대한심폐소생협회와 공동으로 BLS, ACLS, PALS 및 치과전문소생술(Dental Advanced Life Support, DALS)이라는 교육프로그램을 진행하고 있다.

현재 치과계에서 기본소생술은 치대생과 치과병원을 중심으로 광범위하게 진행되고 있다. 또한 치위생사 교과과정에서 기본소생술을 교육하는 학교가 최근 증가하고 있다는 것이다. 2018년에는 대한치과위생사협회 보수교육 중에 제주한라대학교 주관으로 심폐소생술 교육이 진행되었다.

한편 서울대 치대에 DEST (Dental Emergency Simulation Training) center는 교과과정 중에 시뮬레이션 기반으로 심폐소생술뿐만 아니라 치과에서 호발하는 긴급 상황에 대한 실습 프로그램을 시행하고 있다.

그러나, 학생 수준에 맞는 응급교육의 체계화와 일원화, 평가기준, 응급 교육의 질관리 및 개별 치과 맞춤형 응급시스템의 구축, 치과의료기관에서의 응급처치 질평가 및 이에 대한 조직화된 피드백 시스템이 아쉬운 상황이다. 구강악안면외과와 소아치과 전문의를 대상으로 하는 전문소생술은 동기부여가 확고하고, 교육 후 평가를 통하여 그 효과를 즉시 파악할 수 있다. 그러나 이런 소수의 치과의사들을 대상으로 파악된 교육 효과를 전체 치과의사로 확대하기는 무리가 있다.

치과응급교육이 제대로 정착하려면 대한심폐소생협회와의 유기적인 협력을 통하여 응급

- 치과에서는 치과의사, 치과위생사, 간호조무사, 코디네이터 등 다양한 직업군이 존재한다. 따라서 치과의료인의 교육 수준이나 역할에 맞는 맞춤형 응급교육이 필요하다. 그러나 응급처치 교육의 기본은 기본소생술이다.

- 치과의사는 응급구조팀의 리더로서 응급처치 교육의 중요성을 제대로 인식하는 것이 중요하다. 실제 응급상황에서 제대로 된 응급처치를 할 수 있으려면 주기적인 모의 응급훈련을 실시하고, 산소, 모니터, 응급처치 물품을 구비하며, 이를 집중 관리할 전담 직원을 배정해야 한다. 또한 응급처치에 필요한 자동제세동기 등 장비, 소모품의 구비 및 주기적 점검과 관리가 필요하다.

- 지속적인 질 관리(CQI)는 심정지 발생률이 극히 낮은 것을 감안하여 응급상황 시뮬레이션에서 팀플레이 평가지표를 확립하여 이를 지표로 삼아 규칙적으로 관리할 수 있어야 한다.

처치 시스템이 구축되고, 주기적으로 평가지표를 이용하여 질 관리를 체계적으로 할 수 있는 찾아가는 시스템의 구축이 향후 필요하다.

치과에서의 환자안전관리의 기본은 근거에 기반한 응급처치 교육과 합리적인 응급예방에 있다고 본다.

❱ 치과의사를 위한 전문소생술 교육

현재 치과기관 '평가'에 필요한 소생술 교육 조건은 명확하지 않으나, 전 세계적으로 치과에서 근무하는 모든 의료진은 2년에 한 번 기본소생술을 교육하는 것으로 추천되고 있다.

2010년 새로운 심폐소생술 권고안 발표 이후 대한심폐소생협회에서도 한국형 심폐소생술(Korean Advanced Life Support, KALS)을 개발하고, 국내 여러 병원에서 보다 적극적으로 원내 의료인을 대상으로 한 심폐소생술 교육을 시행하고 있으며, 점점 그 범위가 확대되고 있다.

그러나 의료기관과 치과 클리닉에서 발생하는 응급상황은 서로 달라, DALS 프로그램의 확대가 필요하다.

❯ 전문소생술이 생존률에 미치는 영향

전문소생술 교육의 효과는 초기 교육이 부재했던 병원의 조사에서 생존률이 약 100% 정도 증가한다고 보고되고 있다. 이는 미국심장협회의 전문소생술이나 한국전문소생술이나 비슷하다. 아래 그림은 최근 KALS 교육 후 생존률의 변화에서 교육 전후 급격한 생존의 상승을 보임을 알 수 있다. 치과에서도 전문소생술의 필요가 증대하고 있다. 특히 구강악안면외과나 소아치과 전문의들은 이를 실감하고 있다. 참고로 2018년 서울대학교치과병원 구강악안면외과에 근무하는 전공의들을 대상으로 ACLS 교육 후 병동에서 발생한 3건의 심정지 환자 모두가 자발순환이 확보되어 서울대학교병원 응급중환자실로 전원되었다. 치과에서 다음과 같은 서베이를 한다면 같은 결과를 보일 것이 예상된다.

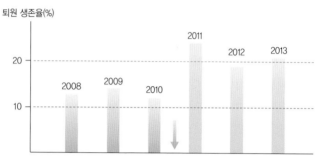

퇴원 생존율(%)

그림 1-1. 모대학병원에서의 원내 CPR 교육 전후 퇴원 생존률의 변화
화살표(↓)는 3개월 동안 의료인 대상 전문소생술(KALS) 교육 시기

◉ 치과에서 심정지 응급구조의 어려운 점과 질 관리 항목

전문소생술은 최소 6명의 인원이 팀워크를 이뤄서 진행되는데, 대부분의 치과는 3~5명 정도의 의료진으로 구성되어 있다. 따라서 3명 팀플레이에 적절한 역할 분담 및 응급구조 방법의 체계화가 필요하다. 다행히 치과에서 발생하는 사망이나 심정지와 같은 위해 사건은 90% 이상 예방이 가능하다.[5] 대부분의 치과 환자는 미국마취과학회 신체분류

---

5. Stanley F Malamed. "Medical Emergencies in the Dental Office" 7th ed. St. Louis: Elsevier, 2015.

(American Society of Anesthesiology Physical Status, ASA PS) 1, 2, 3급[6]으로 상대적으로 양호한 전신상태로, 환자의 응급상황도 긴급에서 응급상황으로 진행하므로, 긴급 상황에서 응급상황을 예방할 수 있기 때문이다. 그러나 최근 인구의 고령화로 인하여 65세 이상

6.

미국마취과학회 신체상태 분류(2014년)		
ASA 신체등급*	정의	예시, 다음 내용을 포함하지만, 이에 한정되지는 않음
ASA I	정상의 건강한 환자	건강한, 비흡연, 전혀 음주하지 않거나 최소로 음주하는 경우
ASA II	경한 전신 질환을 가진 환자	기능적 장애가 없는 경도의 전신질환 - ⓐ (이에 한정되지는 않음): 흡연자, 사교상의 음주, 임신, 비만 (30 < BMI < 40), 잘 조절되고 있는 당뇨/고혈압, 경한 호흡기질환
ASA III	중등도에서 중증의 전신 질환을 가진 환자	실질적인 기능적 제한을 가져오는 경우. 중등도에서 중증 질환이 하나 이상 있는 경우. - ⓐ (이에 한정되지는 않음): 조절되지 않는 당뇨/고혈압, 만성폐쇄성호흡기질환, 병적 비만 (BMI ≥ 40), 활동성 간염, 알코올 의존/남용, 심박동기 삽입, 중등도 이상의 심근수축력 감소, 규칙적으로 투석받는 말기신부전, 수정후 주수 < 60주 의 조산아, 심근경색, 뇌경색, 일과성허혈발작, 또는 관상동맥질환/관상동맥스텐트의 과거력 (> 3개월)
ASA IV	지속적으로 생명을 위협하는 중증의 전신질환을 가진 환자	- ⓐ (이에 한정되지는 않음): 최근의 (< 3개월) 심근경색, 뇌경색, 일과성허혈발작, 또는 관상동맥질환/관상동맥스텐트삽입, 지속중인 심허혈 또는 심한 판막 부전, 심한 심근수축력의 감소, 패혈증, 파종성 혈관내 응고장애, 규칙적으로 투석받지 않는 급성신장병 또는 말기신장병
ASA V	수술하지 않으면 생명을 유지할 수 없는 정도의 중증질환	- ⓐ (이에 한정되지는 않음): 파열된 복부/흉부 동맥류, 중증 외상, 종괴 효과를 보이는 뇌내 출혈, 유의한 순환기적 불안정 또는 다발성 장기/전신 부전을 직면한 장관 허혈
ASA VI	장기 공여를 위한 수술 예정인 뇌사자	

응급 수술인 경우 "E"를 추가한다.
(응급이란, 이 환자의 치료의 지연이 생명이나 신체의 일부의 손상을 유의하게 증가시킬 때를 일컫는다.)

치과내 코드블루팀 활동의 평가

의과에서 코드블루팀의 문제는 '누가 리더인가?'에 대한 대답을 현명게 할 수 있는 가이지만 치과에서는 리더는 치과의사로 분명하다. 치과위생사나 간호조무사 등 다른 의료진을 어떻게 조직화하는가가 관건이다.

노인 환자에서 임플란트 시술의 보험화로 점점 치과진료실에서 환자뿐만 아니라 보호자의 심정지도 증가하고 있어 치과진료실 환경에 최적화된 응급시스템의 요구가 증가하고 있다.

긴급인 경우, 물리적으로 가까운 의료진의 도움을 받고, 심정지 등의 응급인 경우 119 연락이 필요한데, 이에 대한 의사결정 교육이 매우 중요하다. 따라서 심폐소생교육 시 시뮬레이션 및 역할분담 교육을 통해, 필요한 인원을 적절하게 배치하는 방법을 익힘으로써 실제 상황이 발생했을 때 적용할 수 있게끔 하는 것이 중요하다.

질관리 활동에서 코드블루팀의 평가는 매우 중요하다.
- 단지 얼마나 신속하게 응급상황에서 응급처치팀이 운영되는가?
- 응급처치팀의 수가 적절한가?
- 응급처치와 관련된 물품이 잘 구비되고 관리되고 있는가?
- 3개월마다 주기적으로 응급처치 모의 훈련이 이루어지는가?
- 2년마다 치과의료진들의 응급처치 교육이 갱신되는가?

등의 숫자로 나타낼 수 있는 결과들 외의 아래와 같은 질적 평가를 동시에 수행함을 추천한다.

항목			
팀 리더가 분명히 지정되었는가?			
현장은 잘 정돈되고 조용한가?			
제세동기가 신속하게 적용되었는가?			
가슴압박이 즉시 시작되었는가?			
가슴압박 중단이 최소화되었는가?			
의료진의 가슴압박이 고품질로 진행되었는가?*			
제세동 사이에 중단이 최소화되었는가?			
기도가 효과적으로 유지되었는가?			

* 가슴압박의 질 분석은 분석장비를 활용하여 가슴 압박 시 압박 비율(compression fraction), 분당 평균 압박 수, 평균 압박 깊이, 평균 이완률, 분당 평균 환기수 등으로 평가한다.

* 전체적 평가 :

_____

02

소생팀의 역할과 의사소통 방법

강 구 현

소생 치료가 성공하려면 다양한 의료인 역할이 필요하다. DALS 과정에서 술기 교육을 통해 팀원들의 역할을 배운다. 개인 지식과 기술뿐 아니라 협력으로 이루어지는 소생팀 기능이 잘 되어야 환자를 살릴 수 있다. 새로운 가이드 라인에서 일반인 소생술과 의료인 기본 소생술은 따라하기 쉽고 간단해졌다. 전문소생술은 개인보다 소생팀의 협업을 강조하는 방향으로 바뀌었다(그림 2-1).

그림 2-1. 인원과 숙련도에 따른 심폐소생술

 소생팀에 필요한 역할

1. 가슴 압박

소생치료 전 과정에서 높은 수준의 압박이 지속되어야 한다. 가장 힘들고, 집중해야 하는 역할

2. 호흡 유지

전문기도유지기를 넣기 전에 가슴 압박과 인공 호흡을 교대로 시행하다가, 필요한 순간에 전문기도유지기를 넣는 역할

3. 제세동기 담당

환자에게 모니터를 붙이고 심장 리듬을 확인하고 알리는 역할. 제세동기를 사용에 안전과 심장 리듬에 따라 전문 소생술의 흐름이 변화되어 빠른 판단력과 효과적인 의사소통이 필요

4. 약물 담당

심정지 환자 팔꿈치 안쪽에서 혈관을 확보하는 것은 기술이 필요하다. 가이드라인에 따라 약물을 준비하고 투여하는 역할

소생팀에 필요한 역할

5. 기록 담당

심정지가 시작 시간부터 리듬 변화, 사용한 약물, 제세동 횟수, 환자의 관련된 정보를 기록하고 요약하는 역할. 전체 상황을 모니터 하면서 팀원과 리더를 도울 수 있어야 한다.

팀워크의 중요성

소생팀은 자기 일만 열심히 해서는 안 된다. 다른 사람의 역할도 살펴보고 도와야 한다. 다른 사람의 역할을 이해하면,
1. 환자를 위해 내가 해야 할 다음 역할이 무엇인지 예상할 수 있다.
2. 리더와 팀원이 서로 상의하여 치료 계획을 만든다.

성공적인 소생팀은 환자를 살리기 위해 고민하고 서로 협력해야 한다. 좋은 팀은 가슴 압박 중단 시간이 짧고, 약물과 제세동 결정에도 오류가 적다. 다양한 환자의 기저 질환도 고민하고 대처할 수 있는 것은 각자 역할에 관계없이 환자를 살리는 방법을 찾으려 팀원들이 서로 돕고 협력하기 때문입니다. 반대로 나쁜 팀은 '어떻게' 환자를 살리는지 고민보다, '누가' 가슴을 압박하고, 기도삽관을 하는지 각자 일에 대한 고민에 집중한다. 협력이 없으면 개인이 최선을 해도 환자에게 최선의 치료가 안될 수 있다. 이번 장에는 성공하는 소생팀의 요소와 의사소통 방법에 대해 다룰 것이다.

❯ 성공하는 소생팀의 요소

리더십(Leadership)	상황파악, 목표설정, 역할 분배, 피드백을 통해 팀을 이끎
의사결정 (Decision Making)	정보를 상호 교환하여 능동적, 합리적 치료 방향 설정
팔로우십(Followship)	상호 역할 확인, 문제 상황 알림, 적극적 의견 전달
갈등해결 (Confit Resolution)	해결 방법 고안, 의견 제시, 상대방 의견 경청, 의견 합의

1) 리더십(Leadership)

소생팀에는 팀을 조율할 수 있는 리더가 필요하다. 팀 리더는 모든 업무가 제한된 시간 내에 이루어지게 팀원을 이끌어간다. 리더는 오케스트라 지휘자처럼 소생팀을 이끌어간다. 좋은 리더는 '어떻게' 환자를 살리는지 알려주고, 팀원에게 책임과 권한을 나누어준다. 팀원들이 자기 역할을 다하고, 상호 협력할 수 있게 협업을 장려한다. 나쁜 리더는 질책을 하고 벌을 주기 때문에 팀원들이 능동적으로 참여하기 어렵다. 두서없이 일을 시키기 때문에 팀원들이 자기가 무엇을 해야 할지도 잘 모르게 된다.

소생팀의 리더는 팀원들이 협력하게 하여, 좋은 결과를 만들어 내는 사람이다. 소생팀의 리더는 소생술이 끝난 뒤에도 팀원 활동을 분석하여 다음 소생 치료 준비가 이루어지도록 팀원을 가르쳐야 한다.

2) 의사 결정(Decision making)

심정지는 다양한 원인으로 발생한다. 소생팀은 회복 가능한 심정지 원인을 찾기 위해 환자 병력과 심정지 전 상태를 확인해야 한다. 소생 치료의 전 과정에서 환자 평가와 치료 방향 결정을 반복한다. 성공적인 소생팀은

소생팀 리더는 다양한 역할을 맡아야 한다.

- 소생팀원의 역할을 알고 팀원에게 역할을 설명하고 맡긴다.
- 팀원에게 권한을 주고 역할 수행을 확인한다.
- 팀원이 적극적인 태도를 가질 수 있게 격려하고 칭찬한다.
- 환자의 상태와 필요한 일의 우선 순위를 팀원에게 알린다.
- 팀원들이 상호 역할을 확인하고 도우는 분위기를 유도한다.
- 팀원에게 권한과 책임을 나눈다.
- 팀원에게 환자의 치료 방향에 대한 의견을 요청한다.
- 환자의 최종 치료 방향을 결정한다.

임상에서 소생치료 동안 필요한 의사 결정의 예

- 수 차례 제세동을 반복해도 호전되지 않아 부정맥 약물을 사용
- 신속혈액 검사를 시행하여 고칼륨혈증, 저칼륨혈증 등 심정지 원인을 찾고 알맞은 치료를 시행
- 심장눌림증, 긴장성 기흉, 대동맥 박리, 복강내 출혈, 비장 파열 등을 초음파 검사로 심정지 원인을 찾고 알맞은 치료를 시행

의사 결정에 필요한 정보를 같이 모으고, 치료 과정을 검토하며, 그 다음 치료 계획에 대해서 함께 상의한다.

환자 상태나 치료 반응은 환자 가까이에서 술기를 시행하는 팀원들이 더 잘 알고 있다. 리더는 팀원으로부터 환자 반응과 필요한 정보를 얻어야 좋은 결정을 내릴 수 있다. 좋은 리더는 환자 상태에 대한 큰 그림을 그려야 하고, 팀원의 의견을 얻어 합리적인 치료 계획을 세워야 한다.

나쁜 리더는 전체적인 환자 상황을 보지 못한다. 리더가 팀원의 협력을 구하지 않는다. 직접 기도삽관이나 제세동을 하거나 일방적인 명령만으로 소생술을 진행한다면, 팀원들은 방관하거나 시키는 일만 하며 수동적인 자세를 취하게 된다.

리더는 소생치료 동안 문제 상황이 있으면, 팀원에게 먼저 알리고 의견을 요청해야 한다. 문제 상황이 없어도 팀원에게 환자 상태나 치료 경과 정보를 요청한다. 반대로 정보를 요약해 전체 팀원에게 알려야 한다. 성급하게 혼자 결정하는 것보다 팀원에게 도움과 정보를 얻어 여러 가지 치료 계획을 세운 다음 최선의 방법을 선택한다. 리더가 다음 치료 계획을 팀원에게 알리면, 팀원들은 각자의 역할을 고

민하고 상호 협력할 방법을 능동적으로 찾을 수 있다.

3) 팔로우십(Followership)

리더 혼자 팀을 만드는 것이 아니다. 리더가 있는데 각자의 일만 하면 말뿐인 팀이 된다. 하지만 단 두 명이라도 한 사람이 다른 사람을 이해하고 도우면 좋은 팀이 된다. 성공적인 소생팀을 이루기 위해 성공적인 팔로우십이 필요하다. 무조건 시키는 일에만 복종하거나, 공격적으로 다른 사람의 역할에 끼어드는 것은 나쁜 팔로우십이다.

좋은 팀원은 리더가 하는 일을 관찰하고, 필요한 순간에 효과적으로 의견을 말할 수 있다. 환자를 살리는 더 좋은 방법을 찾고, 적극적으로 의견을 전달하는 것이 좋은 팀원의 역할이다. 반대로 다른 팀원에게 환자가 위험한 상황을 알리고, 더 좋은 방법으로 치료하지 않는 것을 말하는 것도 좋은 팀원의 역할이다.

성공적인 소생팀은 다른 팀원 역할에 주목하고 상호 확인을 한다. 예를 들어 제세동기 모니터 리드가 잘못 되어 무수축 리듬만 보여주고 있다면, 팀원들 중 누구라도 오류를 발견하고 해결 방법을 제시할 수 있어야 환자를

ⓘ 소생팀원이 효과적으로 의견을 전달하려면 어떤 방법이 있을까요?

2. 변호하기

상대가 나의 의견을 받아들이지 않으면 환자의 입장에서 다시 설명해보자. '심전도 리드가 잘못 연결되어 제세동이 필요한지 알 수 없다면 심장 박동을 되돌려 환자를 살리기 어렵습니다'라고 말한다.

3. 적극적으로 표현하기

문제 상황을 발견하거나 해결 방안을 떠올렸다면 리더나 다른 팀원에게 적극적으로 알려야 한다. 지금 당신만이 잘못 연결된 심전도 리드를 쳐다보고 있을지도 모른다.

살릴 수 있다. **상호 역할을 확인**하고, **문제 상황을 알리는** 것은 팀원의 의무이고 환자 안전을 위한 안전 장치이다.

4) 갈등 해결(Conflict resolution)

심정지 환자가 발생하면 치과의료제공자들도 큰 어려움을 겪는다. 가족뿐만 아니라 환자를 치료하던 의료진도 예상치 못한 죽음에 충격을 받게 된다.

소생 치료가 시작되면 여러 치과의료제공자가 환자를 살리기 위해 노력한다. 심장을 다시 뛰게 하려면 위험한 전기 충격, 고용량의 약물이 필요하다. 흉부압박을 중단하지 않고 지속하기 위해 여러 사람이 교대로 환자 가슴을 압박한다. 이러한 혼란속에 환자 보호자와 치과의료제공자, 치과의료제공팀 구성원 간의 갈등이 발생 수 있다. 의견 차이로 갈등이 생길 수도 있지만, 기계나 장비가 고장나거나, 의료진의 피로, 실수 때문에도 갈등이 생길 수 있다.

좋은 팀은 소생 치료 동안 발생하는 긴장과 갈등도 해결할 수 있다. 다음은 갈등을 극복하고 해결책을 찾아나가는 리더와 팀원들이 사용하는 방법이다.

1. 세 가지를 확인한다:

   A. 내가 원하는 해결 방법은 무엇인가?

   B. 상대방이 원하는 해결 방법은 무엇인가?

   C. 내가 생각하는 방법은 어떤 장점이 있을까?

2. 다음에 세 가지를 말한다:

   A. 먼저 내가 걱정하고 있고 의견을 말할 것
     이라고 말한다.

   B. 문제를 먼저 정리한다.

   C. 해결책을 제안한다.

3. 의견을 말한 후 세 가지 할 일:

   A. 나의 말을 멈추고 상대 말을 듣는다.

   B. 상대 의견이 더 좋다면 내 의견을 버린다.

   C. 필요하다면 내 의견을 적극적으로 다시
     알린다.

성공적인 소생팀 만들기

– 리더의 자기 소개

심정지 환자가 발생하면 병원의 여러 의사와 간호사가 모인다. 사람이 많이 모인다고 좋은 팀이 되는 것은 아니다. 리더는 자신이 누구인지 다른 의료진에게 밝히고, 소생팀의 리더를 맡겠다고 말해야 한다.

– 리더의 브리핑

리더는 소생 치료를 시작할 때 환자 상태를 팀원에게 알려준다. 자신이 생각하는 치료 방법을 말한다. "이 환자는 흉통이 있다가 갑자기 쓰러졌습니다. 심근경색이나 부정맥에 의한 심정지 가능성이 커서, 심장 리듬부터 확인하고 제세동을 준비하겠습니다. ○○ 선생님 모니터를 부착하고, 필요하면 제세동을 해주실 수 있나요?" 리더가 간단한 지시만을 반복하면 팀원들은 수동적으로 된다. 리더가 정보를 알려주지 않으면 팀원들은 스스로 판단하고 참여할 수 없게 된다.

◉ 성공하는 소생팀의 의사소통 방법

팀원 간의 협력은 대화를 통해 이루어진다. 소생팀원 간에 건설적인 대화가 오간다면 협력 수준은 높아진다. 반대로 서로 책임을 미루거나, 다그치는 대화가 오간다면 협력하기 어렵고 자기 일만 하는 소생팀이 될 것이다.

1) 상호 존중(Mutual respect)

최고의 팀은 동료를 인정하고 협력한다. 좋은 소생 치료를 위해 자기만족과 이기심을 버리고 서로 존중해야 한다. 누군가 실수를 해도 다른 팀원이 도와주어 환자에게 최선의 치료가 이루어 지게 한다. 실수한 팀원에게 책임을 묻거나 창피를 주는 것보다, 협력을 얻어 환자를 살리는 것이 훨씬 중요하다.

2) 순환형 의사소통
(Closed–loop communication)

소생팀 리더와 팀원은 주고받는 대화를 통해 의사 소통한다

1. 협력을 요청할 때 환자 상황을 설명하고, 구체적인 행동을 말해준다. 일방적인 명령이나, 구체적이지 않은 지시는 정확한 뜻을 전달하기 어렵다.

2. 협력을 요청 받을때 분명한 대답을 하거나
알겠다는 표현을 하여 의견을 전달받았다
는 것을 표시한다.

3. 팀 리더는 팀원이 주어진 역할을 다한 것을
확인하고 다음 역할을 요청한다. 리더가 반
복해서 팀원과 의사소통할 때 협력 수준이
높아진다.

3) 분명한 의사전달(Clear messages)

소생팀은 명확하고 간결한 표현과 정확한 발
음으로 대화한다. 분명하지 않은 의사소통은 치
료를 지연시키거나 약물 오류를 일으킬 수 있다.
공격적으로 말하거나 소리지르면 갈등과 스트레
스를 유발하고 의사소통을 방해한다.

4) 분명한 역할과 책임
(Clear roles and responsibilities)

모든 소생팀원은 자기 역할과 책임을 알아
야 한다. 각각의 역할은 모두 중요하다. 팀원
이 부족하면 역할을 나누어 맡는다. 팀 리더
는 효율적인 소생팀 운영을 위해 팀원의 역할
을 정해준다. 팀 리더는 팀원이 수동적으로
명령만을 따르지 않고 적극적으로 참여할 수
있도록 편안한 분위기를 만들어준다.

성공적인 소생팀 만들기
– 리더의 피드백

소생 치료 동안 리더는 팀원
에게 환자 상태와 치료 결과
를 확인해야 한다. "150 J로
제세동을 하였고 2분간 흉
부압박한 다음 다시 심장 리
듬을 확인해야 합니다. OO
선생님은 2분이 지나고 흉
부압박을 교대할 때 심전도
리듬과 맥박을 확인하고 알
려주세요" 리더가 치료 방향
을 정하고 지시를 한 것 만으
로는 높은 수준의 치료가 이
루어질 수 없다. 리더는 반복
해서 팀원 활동과 환자 상태
를 확인해 최선의 치료가 이
루어지도록 노력해야 한다.

재평가와 요약은 팀 리더의 필수적인 역할이다

1. 환자 상태
2. 치료 결과
3. 평가 결과

5) 지식과 상황의 공유(Knowledge sharing)

팀 성과를 높이려면 지식을 공유해야 한다. 소생술 도중에 환자 상태가 변하면 팀원에게 알려주어야 한다. 치료에 환자 반응이 있는지 확인하고, 일차적인 치료가 효과가 없었다면 다음 치료 방법을 다시 논의해야 한다.

> 예 "지금까지 20분간 소생 치료를 시행했습니다. 아직 환자가 회복되지 않고 있는데, 우리가 해볼 수 있는 검사나 치료가 있을까요?"

6) 건설적인 개입(Constructive intervention)

팀 리더와 팀원은 다른 사람의 역할을 알고 있어야 한다. 자기 일만 하지 않고, 다른 사람 일도 돕는다. 다른 사람이 힘들어 하거나 실수하는 모습을 발견했다면 치료결과를 향상시키기 위해 그 사람의 역할에 건설적으로 개입해야 한다.

> 예 "흉부압박을 2분마다 교대해야 지치지 않습니다. 교대가 잘 이루어지지 않는데 제가 도와드릴까요?"

7) 자신의 한계 인정
(Knowing one's limitation)

리더와 팀원은 스스로 맡은 역할을 잘 하는지 평가해야 한다. 잘 모르거나 안 되는 부분이 있다면 빨리 인정하고 도움을 요청한다.
나는 할 만큼 했다는 소극적인 태도는 환자에
게 위험할 수 있다. 책임이 큰 사람일수록 스
스로 해결해야 한다는 압박감을 가질 수 있지
만, 경험 많은 사람은 오히려 자신의 한계를
인정하고 팀원에게 지원을 요청한다.

8) 재평가와 요약
(Reevaluation and summarizing)

좋은 리더는 주기적으로 환자 정보를 요약
해서 팀원들에게 알려준다. 치료 과정을 요약
하고 다음 할 일을 미리 알려준다. 치료가 진
행되면 환자 상태도 달라진다. 초기 감별진단
과 치료 계획도 유연하게 바뀔 수 있다. 기록
을 담당한 팀원에게도 정보를 요약해서 말해
달라고 요청한다.

03
심정지 환자의 심전도

강구현

◎ 심정지 환자의 주요 심전도 리듬

심정지에서 관찰되는 심전도 리듬은 크게 다음의 3가지 형태이다.

1. **심실세동(Ventricular fibrillation, VF)이 나 무맥성 심실빈맥(Pulseless ventricular tachycardia)**
   신속한 제세동 처치로 소생시킬 수 있다.

2. **무맥성 전기활동(Pulseless electrical activity)**
   심전도에서 심장전기활동은 보이지만 맥박은 만져지지 않는다.

3. **무수축(Asystole)**
   전기적 활동이 없이 선으로 보인다.

1) 심실세동

심실세동은 갑자기 쓰러지는 성인 심정지에서 가장 흔히 관찰되는 심전도 리듬이다. 심실근육이 가늘게 떠는 형태의 부정맥이다. 심실세동은 심장에 떨림이 생겨 혈액 순환이 안 된다.

일정한 형태 없이 떨리듯이 보이는 파형이다. 시간이 지나면서 심장의 에너지가 없어지면서 심실세동의 진폭(amplitude)과 진동수(frequency)가 점차 감소되어 무수축으로 된다. coarse VF에서 fine VF으로 진행될수록 제세동 성공률과 자발순환회복될 확률이 낮아지며 사망할 가능성이 높아진다.

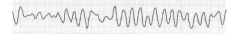

그림 3-1. 큰파형 심실세동 VF 5~10 mm

그림 3-2. 작은파형 심실세동 VF 0~5 mm

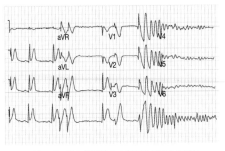

그림 3-3. 가슴 통증을 호소하면서 갑자기 쓰러진 환자에서 발생한 심실세동

2) 무맥성 심실빈맥

심실빈맥은 심실에서 유발된 빠른 심장리듬을 말한다.

대부분 QRS가 넓고, 규칙적으로 빠르게 보인다.

심실빈맥이 있으면서 맥이 만져지지 않으면 무맥성 심실빈맥이다. 무맥성 심실빈맥의 치료는 심실세동과 같아 제세동을 해야 한다.

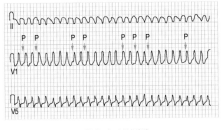

그림 3-4. 심실빈맥

패드 사용

효과적인 제세동을 전달하기 위해 흉강저항을 감소시키기 위한 전도성 물질을 사용한다.

어떤 것이 더 좋다는 자료는 없지만 self-adhesive pads 사용은 아크 방전 발생 위험이 적고, 환자감시를 위해 부착해두면 빠른 제세동 전달이 가능하기 때문에 패들 대신 패드가 일반적으로 권장된다.

심정지 직후의 경과

1. **전기 시기(electrical phase)–심정지 발생 후 약 4분까지의 시기**

조직의 손상이 없는 시기로서 심박동이 회복되면 신체의 조직손상 없이 회복 가능한 시기. 이 시기에는 빠른 제세동이 제일 중요한 치료이다.

2. **순환 시기(circulatory phase)–심정지 발생 후 4분부터 10분까지의 시기**

조직의 ATP가 급격히 고갈되고, 허혈에 의한 조직 손상이 시작되는 시기. 가슴압박을 시행하여 조직으로의 산소 공급을 유지하는 것이 가장 중요한 치료이며, 전문소생술을 시행하여 조직으로의 관류압을 유지해 주어야 한다.

심정지 직후의 경과

3. 대사 시기(metabolic phase)-심정지의 경과시간이 10분 이후의 시기

허혈에 의한 조직손상, 심폐소생술에 의한 재관류 손상 등 다양한 대사성 요인이 발생. 장내 세균의 혈액 내 전이, 혈액 내로 유출된 시토카인(cytokines)등 여러 가지 물질로 인하여 전신성 염증반응 증후군과 유사한 형태의 전신 반응 발생

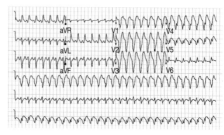

그림 3-5. 심실빈맥

3) 무맥성 전기 활동(PEA)

심실세동/무맥성 심실빈맥이나 무수축을 제외한 리듬이 맥이 없는 경우 PEA라고 한다.

PEA는 심정지의 교정 가능한 원인이 있는 경우가 많다.

PEA의 형태

1. 동성리듬
2. 심실상성 리듬
3. 방실 접합부 리듬
4. 심실 리듬
5. 빈맥
6. 서맥

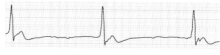

그림 3-6. 심실고유리듬

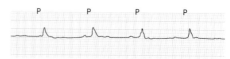

그림 3-7. 3도(완전) 방실차단

Dual check

맥박을 확인할 때에는 경동맥(carotid artery)과 대퇴동맥(femoral artery)을 동시에 촉지 확인해야 한다.

4) 무수축(Asystole)

무수축 심전도는 파형이 없이 실선으로 보인다. 분당 6회 이하의 심실 자극은 수축으로 의미가 없어 무수축으로 간주한다. 무수축 리듬이 보이면, 먼저 심전도 유도가 연결되어 있는지 확인한다.

고품질의 심폐소생술과 치료 가능한 원인을 찾아야 한다.

Triple check

Dual check + Monitor check

심정지는 모니터로 확인하는 것이 아니다. Dual check로 확인 즉시 심정지로 판단되면 가슴압박을 시행해야 한다. VF과 pulseless VT은 triple check로 확인 가능하다.

그림 3-8. 무수축 리듬

김승오

◉ 기본 기도술기
(Basic airway techniques)

심폐소생술에서는 백-마스크 환기를 효과적으로 하기 위해 삽입한다.

1) 입인두기도기(Oropharyngeal airways)

의식이 없는 환자에 사용한다. 길이는 환자 입 끝에서 하악각까지 거리로 한다(그림 4-1-1). 삽입 방법은 구부러진 끝이 입천장을 향하게 경구개까지 넣은 후에 180도 회전하여 입에 넣는다(그림 4-1-2,3).

다른 방법은 어금니 쪽으로 넣고 90도 회전하여 넣을 수 있다.

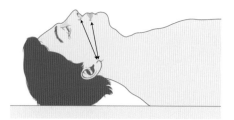

그림 4-1-1. 기도기 거리측정

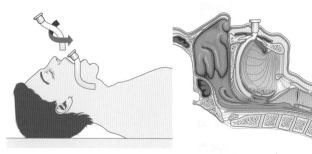

그림 4-1-2. 입인두 기도기 삽입 방법   **그림 4-1-3.** 입인두 기도기 삽입 상태

2) 비인두기도기(Nasopharyngeal airways)

의식이 있는 환자에서도 사용이 가능하다. 환자 콧구멍에서 귓불이나 아래턱각까지 길이를 재어 맞는 크기를 선정한다(그림 4-1-1). 젤리를 바르고 콧구멍에 부드럽게 넣는다(그림 4-1-4,5). 한쪽 코에서 진행이 되지 않으면 반대편 코에 시도한다.

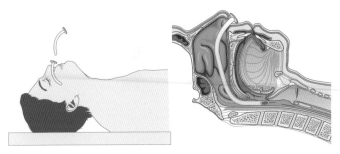

그림 4-1-4. 코인두 기도기 삽입 방법   **그림 4-1-5.** 코인두 기도기 삽입 상태

3) 백 마스크 환기

백 마스크는 소생술 초기 몇 분간과 전문기도유지술이 시행되기 전에 유용하다.

의료인들은 백 마스크 사용에 숙달되어야 한다. 백 마스크를 안면마스크나 상부기도기, 기관내삽관에 연결하여 사용이 가능하다. 마스크를 한 손으로 얼굴에 밀착하고 다른 손으로 백을 짜야 한다(그림 4-1-6). 얼굴에 정확히 밀착되지 않으면 저환기가 생기고 기도유지가 절절히 유지되지 않으면 공기가 식도로 들어가 위 팽만이 생기고 흡입의 위험이 있다. 2인 구조자일 경우 한 사람이 마스크를 두 손으로 잡고 다른 사람이 백을 짜는 2인법이 더 효과적이다(그림 4-1-7).

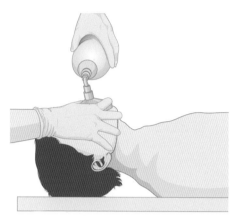

그림 4-1-6. 1인 구조자 백 마스크

그림 4-1-7. 2인 구조자 백마스크

◎ 전문 기도술기
(Advanced airway techniques)

삽관 전 확인사항

삽관 전에 탐침(stylet)이 신속하게 잘 빠지는지, 후두경의 불빛이 밝은지, 커프가 잘 팽창되는지 반드시 확인해야 한다.

심폐소생술 시행 중에 시행되는 전문 기도술기는 30:2의 가슴 압박이 아닌 지속적 가슴압박을 위해 필요하다. 전문 기도술기에는 전통적인 기관내삽관과 후두마스크(Laryngeal mask airway, LMA), 후두튜브(LT), 아이겔(I-gel) 등의 전문기도기가 있다. 심폐소생술 시행 중에 Alternative airway를 사용하는 경우 가슴압박에 의해 튜브가 밀려나오는 위험이 있으므로 튜브를 단단히 고정을 하는 것이 중요하다.

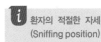
환자의 적절한 자세 (Sniffing position)

1) 기관내삽관(Endotracheal intubation)
기관내삽관은 기도를 유지하기 위해 구강 또는 비강을 통해 기관으로 튜브를 삽입하는 술기로 인공호흡과 산소공급을 위한 가장 좋은 전문기도술기이다.

■ **기관내삽관 순서**
1. 삽관에 필요한 준비를 철저히 한다 (monitor (심전도, 산소포화도, 호기말이산화탄소농도), IV line, medication, assistant, difficulty air kit).

응급상황에서는 stylet(속심)을 사용한다. 이 때 튜브 끝으로 속심이 돌출되어서는 안 된다.

2. 삽관 전에 충분한 백밸브마스크로 산소를 공급한다.

3. 후두경을 바르게 잡는다.

4. 틀니나 구강 내 이물질 제거 및 흡인한다.

5. 환자 입의 우측으로 후두경을 삽입 후 혀를 왼쪽으로 밀어 올린다(그림 4-1-8,9).

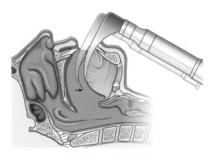

그림 4-1-8. 후두경 삽관

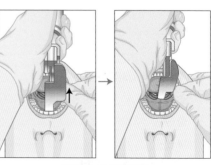

그림 4-1-9. 후두경 삽관

6. 후두개의 끝을 찾은 뒤 육안으로 성대 확인한다(그림 4-1-10,11).

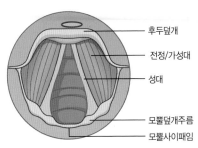

후두덮개

전정/가성대

성대

모뿔덮개주름

모뿔사이패임

그림 4-1-10. 성문의 해부학적 구조

7. 후두경의 손잡이 방향으로 당긴다.

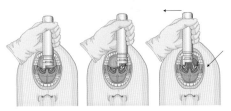

그림 4-1-11. 후두경 삽관 방법

8. 튜브를 끝 1/3 되는 부분을 잡는다.
9. 튜브 끝의 커프가 성대를 통과하는 것을 육안으로 확인 후 3~4 cm 더 밀어 넣는다.
10. 속침(stylelt)을 제거한다.

ℹ️ 성대문 연축

튜브를 성문으로 진입시키는 순간에 성문 또는 후두 전체가 닫혀버려 삽관이 불가능한 경우는 정상적 방어 반사로 일시적이므로 당황하지 말고 경련이 풀리기를 기다리면 수 ~ 수십초 내로 풀린다.

ℹ️ 성문 통과 확인

속침(stylet)을 제거하기 전에 튜브 끝이 성문을 통과하는 것을 반드시 확인해야 한다.

ℹ️ 삽관 후 확인

삽관 성공 여부는 청진, 호기말 이산화탄소 측정, 가슴방사선 등으로 확인할 수 있다.

Ballooning을 과하게 하
면 cuff가 터질 수도 있다.

삽관 후 청진

삽관 성공 여부를 확인하기
위해 튜브를 고정하기 전에
복부를 제일 먼저 청진하고,
그 다음 흉부를 청진한다.
복부에서 소리가 들린다
면 즉시 삽관 튜브를 제거
하고 백밸브 마스크로 산
소화를 시행하고 재삽관을
준비한다.

1. 상복부
2. 왼쪽위가슴
3. 오른쪽위가슴
4. 오른쪽아래가슴
5. 왼쪽아래가슴

– 삽관 후 청진순서 –

11. 삽관이 정확한지 확인한다.

12. 호기말이산화탄소 측정이 가장 정확한 방법으로 5회 이상의 환기에서 그래프 모양이 잘 나오는지 확인한다(삽관이 되지 않으면 파형이 나오지 않음)(그림 4-1-12).

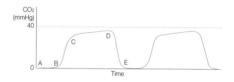

(삽관 성공)

(삽관 실패)

그림 4-1-12. 호기말이산화탄소 파형

13. 커프의 압력은 25~40 cm H_2O로 유지 한다.

14. 튜브를 확실하게 고정하고 가슴방사선 을 확인한다(그림 4-1-13).

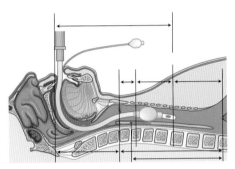

그림 4-1-13. 튜브위치: 기관분기부 2 cm 상방 (남자: 23 cm, 여자: 21 cm)

ⓘ **후두마스크 적응증**

1. 기관내삽관이 필요한 경우 이를 대신할 목적
2. 기관내삽관에 경험이 부족한 (준)의료인에 의한 사용
3. 기도 종괴나 목 부위의 병리적 이상으로 기관삽관을 실패한 경우

ⓘ **후두마스크 금기증**

1. 상부기도 해부학적 구조가 심하게 손상된 경우
2. 과도한 기도압력이 예상되는 경우(만성폐쇄성 폐질환)
3. 음식을 섭취한 직후로 복압이 높아 폐흡인의 가능성이 높은 경우

2) 후두 마스크

(Laryngeal mask airway, LMA)

후두마스크(LMA)는 1981년 Archie brain에 의해 고안된 전문 기도유지기의 한 종류이다 (그림 4-1-14). 이는 통상적인 기관삽관 튜브보다 짧고, 튜브 끝에 풍선형 실리콘 마스크가 달려 있는 형태로 이 마스크가 팽창하여 후두 주변을 밀봉 시켜서 튜브와 기관이 연결되게 해준다. 수술실에서 짧고 간단한 수술 시, 병원전 단계에서 응급구조사에 의한 전문기도확보 장비로서 인정되면서 이의 사용은 증가되고 있다.

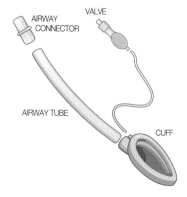

그림 4-1-14. 후두마스크

■ 후두마스크 삽관 순서

1. 전산소화를 시킨다.

BVM를 이용하여, 100% 산소를 공급(저장낭과 최소 15 L/min의 유속) 산소 공급 중단 시간이(삽관시간) 최대 30초 이상 경과되지 않도록 해야 한다.

2. 적당한 크기의 LMA를 선택한다.

후두마스크의 규격과 공기주입량은 후두마스크 Tube에 표시되어 있다.

크기	적용범위	공기주입량
#1	5	4
#1.5	5~10	7
#2	10~20	10
#2.5	20~30	14
#3	30~50	20
#4	50~70	30
#5	70~95	40
#6	95	50

3. 손가락으로 커프를 누르면서 주사기를 이용하여 공기를 완전히 제거한다.

이때 커프가 주름지지 않도록 해야 한다. 바닥에 놓고 커프를 누르거나 손위에서 손가락으로 커프를 눌러도 되며, 기도기

공기 주입 후 위치 변화

후두마스크에 공기 주입하면 튜브가 정상적으로 밀려나온다. 이를 고려하여 삽관 시 더 깊이 넣는다.

관이 과도하게 밀려나 오는 경우

공기 주입 후 관이 과도하게 밀려나오거나 빠졌을 때는 그 상태에서 다시 집어넣으려 하지 말고, 커프의 공기를 제거하여 튜브를 빼낸 후 다시 삽관하도록 한다.

의 커프 부분을 만질 때는 감염원에 오염되지 않도록 주의한다.

4. 커프의 뒷면에 수용성 윤활제를 바른다.

윤활 젤리가 튜브의 입구를 막거나 튜브 안쪽으로 들어가지 않도록 한다(그림 4-1-15).

그림 4-1-15. 후두마스크 윤활제 사용

5. 튜브를 삽입한다.

엄지와 검지를 이용하여 튜브를 잡는다. 삽관 시 튜브 근위부가 환자 다리 쪽을 향하여 얼굴면과 거의 수평상태가 되게 한다. 즉, 튜브를 삽입할 때 튜브가 얼굴면에 수직이 되도록 넣어서는 안 된다. 튜브의 등쪽면이 입천장에 밀착되어 음식을 삼키는 방향으로 삽입하도록 한다. 식도 괄약근에 닿아 저항이 느껴질 때까지 충분히 밀어 넣는다. 반드시 다른 손으로 튜브를 고정한 상태에서 삽입에 사용한 손을 빼내도록 한다(그림 4-1-16).

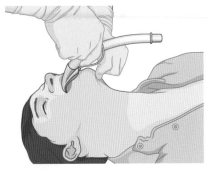

그림 4-1-16. 후두마스크 삽관

i 삽관 상태를 확인해 야 하는 상황

1. 제세동 시행 후 환자의 자세 변경
2. 침대 이동
3. 이송

6. 크기에 알맞은 적정량의 공기를 커프에 주입하고 고정한다.

튜브 크기에 따른 적정량의 공기량이 튜브에 표시되어 있다. 튜브에 표시된 최대 공기 주입량 이하로 주입하도록 해야 한다(최대 공기주입량 주입하면 후두 구조가 변형되어 공기가 새어나올 수 있다). 공기 주입 후 커프 압력(cuff pressure)은 60 cmH$_2$O 이하로 유지해야 한다. 튜브의 중앙 검은선이 환자 얼굴 중앙에 위치하도록 하여 고정해야 한다. 튜브는 환자의 머리쪽이 아니라 턱쪽으로 휘어지도록 하여 고정해야 한다. 고정은 고정 tape 혹

권고사항

Supraglottic airway device 사용 중 위 팽만 발생할 시 L-tube 삽입을 고려해본다.

은 후두마스크 전용 고정기구를 이용하여 고정하도록 한다(그림 4-1-17).

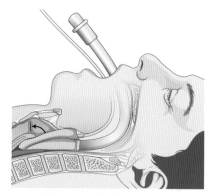

그림 4-1-17. 후두마스크 삽관 상태

7. LMA 삽입 후 삽입 상태를 확인한다.

Bite block 중앙 부위에 앞 치아가 위치해 있는지 확인한다. 중앙 검은선이 환자 얼굴 중앙(콧등)에 위치해 있는지 확인한다. BVM를 이용하여 환기를 했을 때 별다른 저항 없이 충분히 환기되는지, 흉곽이 오르내리는 것을 확인한다. BVM를 이용하여 환기를 하면서 상복부와 흉부를 청진한다. 호기말이산화탄소 측정 기구나 장비를 이용하여 농도를 확인한다.

3) 아이겔(I-gel)

아이겔 적응증

1. 기관 삽관에 실패한 환자나 응급상황에서의 기도 확보
2. 장비가 잘 갖추어진 구급차 내 환자의 기도 유지
3. 응급상황이나 심폐소생술 상황

특징

- 마스크 팽창이 필요하지 않아 쉽고 빠른 삽관이 가능하다.
- 위장관 튜브 삽입 또는 흡인이 가능한 통로가 있다.
- 인두에 밀착되는 곳이 탄성체 겔로 만들어져 있어 구강 내 구조물의 손상을 최소화한다.
- 후두개의 하강을 방지하는 구조로 이루어져 기도 유지에 용이하다.
- 다른 성문 외 기도기와 비교하여 초심자가 사용하기에 가장 쉽고 빠르게 삽입 가능하다(그림 4-1-18).

주의사항

1. 기관내삽관보다 탈관의 가능성이 높기 때문에 삽입한 후 청진과 이산화탄소 농도 모니터 확인
2. 완전히 저항이 느껴지는 정도까지 부드럽게 밀어 넣는다.
3. #4 크기 아이겔이 대부분의 환자에서 적용 가능하다.

그림 4-1-18. 아이겔

표 4-1-1. 아이겔 크기

아이켈 크기		Patient size	Patient weight guidance(Kg)
	1	신생아	2~5
	1.5	영아	5~12
	2	작은소아	10~25
	2.5	큰소아	25~35
	3	작은성인	30~60
	4	중간성인	50~90
	5	큰성인	90+

〈삽관 순서〉

1. 장비 준비
2. 수용성 젤 바르기

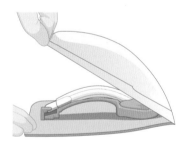

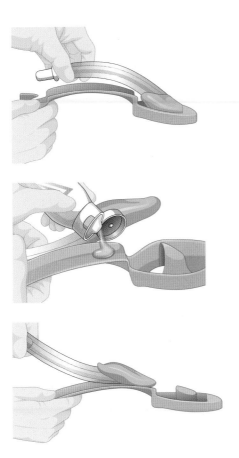

그림 4-1-19. 아이젤 준비와 겔 바르기

3. 열린 부분이 턱 쪽으로 향하도록 하여 삽입한다.

환자는 'sniff position'을 하면 도움이 된다.

그림 4-1-20. 아이젤 삽입

4. 턱을 부드럽게 아래로 내려 입을 벌린다.

5. 경구개를 따라 아래쪽, 뒤쪽 방향으로 저
   항이 있을 때까지 서서히 넣는다.

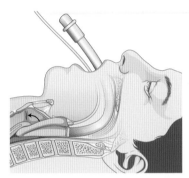

그림 4-1-21. 아이젤 삽입 위치

6. 반창고나 전용 고정 기구를 사용하여 고
   정하고 삽관 상태를 확인한다.

04-2
응급 술기 - 가슴압박(Chest compression)

김승오

❯❯ 가슴 압박의 자세와 위치

성인과 소아의 가슴압박 위치는 가슴의 중앙이다. 이 부위는 흉골의 아래쪽 절반이다. 구조자의 양손을 환자 가슴뼈 아래쪽 절반에 위치하도록 한다. 압박 위치를 확인하기 위해 젖꼭지를 연결하는 가상의 선을 기준으로 위치를 파악할 수도 있다. 복강 내 장기손상을 방지하기 위해 흉골 하단에 칼돌기 아래 복강을 압박하지 않아야 한다.

> **가슴압박을 방해하는 원인**
>
> 1. 맥박확인에 시간을 많이 소모함
> 2. 인공호흡에 시간을 많이 소모함
> 3. 환자를 옮김

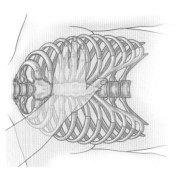

그림 4-2-1. 가슴뼈 아래쪽 절반, 손꿈치로 압박한다.

i 전문기도기 확보
전과 후

전문기도기를 사용하기 전까지 압박:호흡비율은 성인 30:2, 소아 15:20이다. 전문기도기가 확보된 경우에는 가슴압박과 인공호흡의 비율을 무시하고 가슴압박 동안 모든 연령에서 6초마다 1회씩(분당 10회)호흡시키며, 호흡 때문에 가슴압박을 중단하지 않는다.

심정지 환자를 옮겨야 하는 경우 가슴압박을 효과적으로 하기 어렵다. 일단 발견된 장소에서 가슴압박을 시작해야 한다. 가슴압박의 효과를 최대화하기 위해서 환자를 딱딱한 바닥에 등을 대고 눕히거나 등에 단단한 판을 깔아준다.

구조자는 환자 가슴 옆에서 무릎을 꿇은 자세를 취하고 가슴압박을 시행한다. 제한된 공간에서는 환자 머리 쪽이나 배 쪽에서 가슴압박을 할 수도 있다. 한 쪽 손바닥을 압박 위치에 대고 그 위에 다른 손바닥을 겹쳐 압박한다. 손가락은 펴거나 깍지를 끼어 가슴에 닿지 않도록 한다. 팔꿈치를 펴고 팔과 바닥이 수직 상태에서 체중을 이용하여 압박한다.

◎ 가슴 압박의 깊이, 속도, 압박과 이완

가슴압박 깊이는 5 cm에서 6 cm이고, 6 cm를 넘지 않아야 한다.

가슴압박 속도는 분당 100~120회이다. 압박과 이완 시간은 50:50 비율로 권장한다.

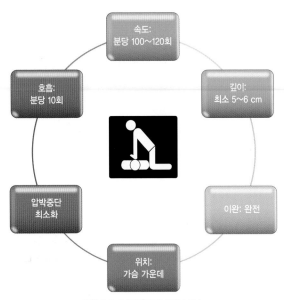

그림 4-2-2. 고품질의 심폐소생술

심장에 혈액을 채우기 위해 가슴압박 때 가슴을 완전히 이완시킨다. 가슴 이완이 안되면 흉강 내 압력이 올라가고 심장에 혈액이 덜 채워져서 심박출량이 줄어들어 관상동맥과 뇌동맥으로 가는 혈액량을 감소시킨다.

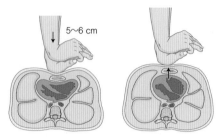

그림 4-2-3. 5~6 cm의 가슴압박과 완전한 이완

❯ 가슴 압박의 교대

두 명 이상의 구조자가 있으면 가슴압박 역할을 2분마다 바꾸어 구조자가 지치는 것을 방지하고 가슴압박의 질과 속도가 떨어지는 것을 막아야 한다. 교대시간은 가능한 5초를 넘지 않게 한다.

응급 술기 - 제세동술(Defibrillation)

강 구 현

❯ 심정지 환자에서 심폐소생술과 제세동의 중요성

급성 심정지는 심실세동이 원인인 경우가 많다. 심실세동의 가장 중요한 치료는 전기적 제세동이다. 제세동이란 짧은 순간에 강한 전류를 심장에 통과시켜 대부분의 심근을 탈분극시켜 심실세동을 멈추게 한다. 심폐소생술을 시행하지 않는 경우는 제세동 성공률이 매분 7~10%씩 감소하며, 목격자에 의한 심폐소생술이 시행되면 제세동의 성공률이 분당 3~4% 정도로 감소된다. 심정지 환자에게 심폐소생술을 하면 심폐소생술 시행 없이 제세동을 할 경우보다 성공 확률이 2~3배 증가한다. 현장에서 목격자 심폐소생술이 시행되면 환자의 신경학적 기능도 잘 보전된다. 성인 심정지 후 5분 이내에 제세동이 시행되면 신경손상이 거의 없다고 보고 되었다. 하지만, 심폐소생술만으로 심실세동이 정상리듬으로 되

ℹ️ **1회의 제세동**

리듬이 심실세동/무맥성 심실빈맥인 경우 제세동은 1회만 시행한다. 첫 번째 제세동의 성공률이 가장 높고, 가슴압박의 중단을 최소화하기 위함이다.

ℹ️ **제세동기 에너지 파형**

제세동기에 사용되는 에너지 파형은 단상파형(monophasic waveform)과 이상 파형이 있다. 이상파형 제세동기가 보다 적은 에너지로 안전하고 효과적으로 제세동을 한다. 사용하는 에너지양은 단상파형인가, 이상파형인가에 따라 다르다.

지 않는다. 제세동만이 심실세동을 정상으로
변환시킨다. 심정지 초기에 제세동을 하는 것
이 무엇보다 중요하다.

◉ 자동 제세동기(자동 심장충격기)

자동 제세동기는 심전도를 자동으로 분석하
여 제세동이 필요한 리듬을 구분하고, 사용자
가 직접 제세동을 할 수 있게 하는 장비이다.
자동 제세동기의 종류 및 제조회사에 따라 사
용 방법에 약간의 차이가 있다.

자동제세동기의 시본적인 사용 방법은 다
음과 같다.

1. 전원을 켜고
2. 환자의 상의를 벗긴 후 두 개의 패드를
   오른쪽 빗장뼈 아래와 왼쪽 젖꼭지 아래
   의 중간겨드랑이선(mid-axillary line)에
   붙이고
3. 자동 제세동기가 심전도를 분석하는 동
   안 환자와 접촉하지 않도록 한 후
4. '제세동이 필요합니다'라는 음성 지시가
   나오면 자동 제세동기 스스로 충전을 시
   작한다. 가슴 압박을 5~10초만 중단해

도 제세동이 심실세동을 제거할 기회가 감소하기 때문에 제세동기가 충전되는 동안 가슴압박을 지속한다.

5. 충전이 완료되면 제세동 버튼을 눌러 제세동을 시행한다.

6. 제세동을 시행한 후에는 즉시 심폐소생술을 다시 시작한다.

자동제세동기에서 '제세동이 필요하지 않습니다'라는 음성 지시가 나오면 바로 가슴 압박을 시작한다(그림 4-3-1).

> **제세동시 주의할 점**
>
> 1. 제세동 시 10 kg 정도의 힘으로 1~2초 누르고 있어야 한다. 많은 의료진이 제세동할 때 바로 손을 뗀다.
> 2. 다섯까지 세면서 셋에 쇼크버튼을 누른다. "하나, 둘, 셋!(쇼크), 넷, 다섯(뗀다)"
> 3. 제세동 시 환자의 왼팔에 오른손이 닿지 않게 주의해야 한다.
> 4. 제세동 시 'Sync' 버튼이 꺼져있는지 꼭 확인한다.

① 전원을 켠다

② 두 개의 패드 부착

③ 심장리듬 분석

④ 제세동 시행

⑤ 즉시 심폐소생술 다시 시행

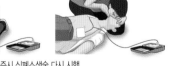

그림 4-3-1. 자동제세동기 사용법

8세 미만의 소아는 성인에 비해 적은 에너지인 2~4 J/kg로 제세동을 하는 것을 권장한다. 패드를 소아용 패드로 교체하거나, 자동제세동기를 소아용 모드로 전환하여 사용한다. 소아용 패드나 에너지 용량 조절장치가 없는 경우에는 성인용 자동제세동기를 그래도 적용할 수 있다.

❯ 수동 제세동기

1) 제세동 에너지양

이상파형 제세동기는 제조회사마다 기계에 최적의 제세동 에너지범위를 표시해 놓은 경우가 많다. 이상파형 제세동기 에너지는 제조회사가 권장하는 양을 알면 권장량을 사용하고, 모르면 200 J이다. 권장 에너지량을 모르면 첫번째는 200 J로 시행하고 다음엔 동일하거나 높은 에너지로 시도한다. 단상파형 제세동기는 360 J로 시행하고, 그 뒤로 계속 동일하게 시도한다. 심실세동이 제거되었다가 재발한 경우, 제세동에 성공했던 에너지를 사용한다.

그림 4-3-2. 최적의 에너지를 표시해 놓은 제세동기의 예

흔한 패들 위치 오류

가장 흔한 위치 오류는 환자의 좌측 겨드랑이 부위에 위치시키는 패들이다. Mid-axillar line에 패들의 중앙선을 일치시킬 정도로 깊숙히 위치시켜야 한다. 이때 환자의 왼팔에 시술자의 손이 닿을 수 있으므로 주의해야 한다.

2) 전극(패드/패들)의 위치

전극의 위치는 자동제세동기와 같다(흉골-심첨부; sternum-apex). 이상파형 제세동기를 사용할 경우 흉골, 심첨부로 표시된 두 전극의 위치가 바뀌어도 큰 지장이 없다. 전극의 위치를 바꾸느라 제세동 시간을 지연시키거나, 가슴압박을 중단할 필요는 없다.

전기적 심장율동전환 시 주의사항

전기적 심장율동전환 시에는 항상 CPR과 제세동 준비를 해야 한다.
대부분의 제세동기는 심율동전환 후에 초기상태인 제세동 모드로 전환되기 때문에 다시 심율동전환을 할 때에는 동기화 모드의 활성화 여부를 확인해야 한다.

3) 제세동을 위한 안전확인

제세동을 할 때는 안전을 위해서 큰 목소리로 주위 사람들에게 알려야 한다(5초 이하).

예 "자, 이제 제세동 하겠습니다.
　　　모두 비키세요."

　　　"하나, 둘, 셋(shock), 넷, 다섯(뗀다)"

특별한 상황에서의 주의할 점

1. 환자 가슴에 털이 많은 경우 전극이 가슴에 잘 안 붙을 수 있고, 털이 전극과 가슴 사이에 공기를 붙잡아 놓을 수 있기 때문에 털을 면도하고 붙여야 한다. 높은 임피던스와 간헐적인 전류 아크가 유발될 수 있고, 이로 인해 중 환자실처럼 산소가 풍부한 곳에서는 화재를 일으킬 수도 있다.

2. 영구 심박동기(permanent)나 이식형 제세동기(ICD)를 삽입한 환자에게 제세동을 할 때는 기계의 기능을 저하할 수 있기 때문에 그 위나 근처에 전극을 부착해서는 안 된다. 제세동 후에는 영구 심박동기와 이식형 제세동기를 재점검 해야 한다.

위 용어를 동일하게 사용할 필요는 없지만 곧 제세동을 시행한다는 것에 대해 모든 사람들에게 알리고, 떨어져 있도록 경고 해야 한다.

환자, 침대, 장비와 자신, 팀원의 접촉 유무를 눈으로 확인하고, 특히 백 밸브 마스크로 환기를 시행하고 있는 사람의 손이 장비에 접촉하지 않고 있는지 확인한다.

SHOCK 버튼을 누르기 전 다시 한번 자신을 확인한 후 제세동 시행 한다.

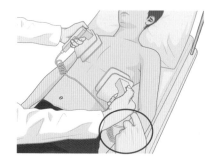

그림 4-3-3. 제세동 중 환자와 접촉하지 않도록 주의해야 한다.

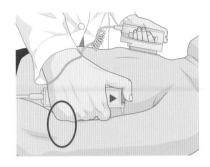

 동기 쇼크의 문제점

1. 빈맥의 R파 최상점이 불분명하거나, 진폭이 작을 때 모니터는 R파의 최상점을 감지하지 못하여 쇼크가 전달되지 않을 수 있다.
2. 대다수의 심율동전환기는 hand-held quick-look paddle로 동기화할 수 없다. 미숙한 시술자는 동기화 되지 않는 원인을 모르는 체 심율동전환을 시행하지 못 할 수 있다.
3. 전극들을 붙여야 하거나 시술자가 장비에 익숙하지 않다면 동기화에 추가로 시간이 소요될 수 있다.

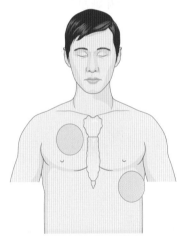

그림 4-3-4. 제세동 위치

응급 술기 - 정맥/골내주사로 확보

감명환

◉ 정맥주사로 확보

　응급상황에서 약물 투여가 가능한 경로는 정맥, 골내, 기도 등이 있다. 응급상황 시 가장 선호되는 경로는 정맥, 골내, 기도 순이다. 정맥주사는 가장 쉽고, 접근하기 편하며, 다른 방법들과 비교했을 때 침습 정도가 적은 방법이다. 선호되는 정맥의 위치는 손등, 손목, 팔오금 등이다. 말초정맥에서 정맥로 확보가 어려울 경우 중심정맥로를 확보하기도 한다. 응급상황에서 약물과 수액 공급을 위해서는 18 게이지 이상 굵기의 정맥내 카테터를 사용하는 것이 좋으나 더 얇은 카테터를 사용하는 것도 무방하다. 심장이 박동하는 동안 혈액이 체내를 한 번 순환하는 데 걸리는 시간은 빠르면 20초이다. 1분 이내에 체내 모든 혈액이 순환한다. 심정지 상황에서는 혈액이 순환되지 않아 정맥주사로 약이나 수액을 투여 후

20 ml의 생리식염수를 추가로 투여하고 팔을
10~20초 동안 들어주어 투약된 약이 심장으
로 들어갈 수 있게 한다.

1) 방법

카테터는 색깔 별로 굵기가 달라 색깔로 굵
기를 구별할 수 있다.

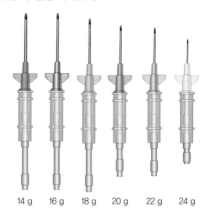

14 g   16 g   18 g   20 g   22 g   24 g

그림 4-4-1. 정맥내 카테터

**무균장갑을 끼거나 손 소독 후 카테터를 선택
하여 무균적으로 시술한다.**

1. 정맥을 선택한 후 천자위치 보다 심장
   쪽으로 압박대를 감어 정맥이 확장되게
   한다.

2. 카테터 오염을 방지하도록 노력한다. 카
테터 굵기에 따라 바늘 길이가 다르다.
바늘이 카테터보다 2~5 mm 더 길다.
바늘의 길이를 확인하고 바늘과 카테터
를 분리시켜 카테터의 불량이 없는지 확
인 한 후 바늘 끝 경사면을 확인한다.

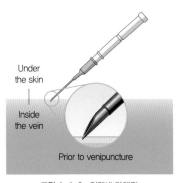

그림 4-4-2. 정맥내 카테터

3. 천자 위치를 소독하고 바늘 끝 경사면을 위로 향하게 한 후 20~30도 각도로 혈관이 천자될 때까지 바늘을 진입시킨다.

그림 4-4-3. 혈관천자

4. 천자가 되어 바늘로 혈액이 역류되는 것을 확인하고 바늘 각도를 낮추어 카테터가 정맥내로 진입될 정도로 2~5 mm를 더 진입시킨다.

그림 4-4-4. 혈액 역류 확인

5. 바늘이 더 들어가지 않게 고정한 후 카
   테터 허브를 잡고 카테터만 정맥내로 끝
   까지 진입시킨다. 정맥판막 등으로 인해
   저항이 있다면 적당한 깊이에서 진입을
   멈춘 후 수액세트나 약물 주입이 가능한
   헤파린캡 또는 3-way를 연결한 후 고정
   한다.

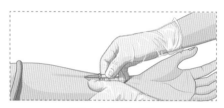

그림 4-4-5. 바늘 제거

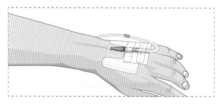

그림 4-4-6. 천자 위치 고정

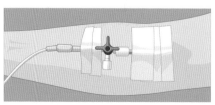

그림 4-4-7. 다른 고정 방법

❯ 골내주사로 확보

응급상황에서 정맥로 확보가 어려운 경우
가 있다. 특히 소아는 정맥이 작고, 혈관이 허
탈되기 쉽기 때문에 정맥로 확보가 더욱 어렵
다. 이런 경우 골내주사를 사용할 수 있다.

1) 방법
　　1. 무균적인 드레싱 세트와 골내 주사바늘
　　　과 드릴을 준비한다.

그림 4-4-8. 골내주사 드릴

2. 위치를 선택한다. 흔히 사용하는 위치는
   넓다리뼈 말단, 정강뼈 몸쪽, 정강뼈 말
   단, 상완골 머리부위, 상전장골극 등이
   있다.

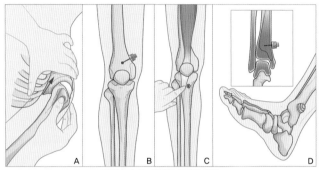

그림 4-4-9. 골강내 주사의 위치
(A. 상완골 머리 B. 넓다리뼈 말단 C. 정강뼈 몸쪽 D. 정강뼈 말단)

3. 부위를 확인하고 소독한다. 뼈를 움직이
   지 않도록 고정을 한다.
   ① 40 kg 미만: 15 mm 바늘
   ② 40 kg 이상: 25 mm 바늘

   부종이 심하거나 비만 환자는 45 mm
   바늘을 사용한다.

4. 바늘 안전 뚜껑을 제거한다.

그림 4-4-10. 골내주사 바늘

5. 바늘을 피부에 수직으로 뼈에 닿을 때까지 찌른다. 닿은 후에 드릴을 작동시켜 뼈 안으로 삽입되게 한다. 겉질뼈(cortical bone)를 통과하면 저항이 확연하게 감소되며 이 때 즉시 드릴의 방아쇠를 놓아서 정지시킨다.

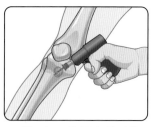

그림 4-4-11. 골내주사 바늘 삽입

6. 탐침 허브를 제거하여 카테터 허브만 남
   긴다.

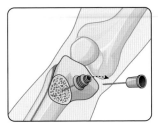

그림 4-4-12. 골내주사 바늘 분리

7. 주사기를 연결하여 골수를 조금 뽑아 잘
   들어갔는지 확인한다. 주사기로 10 ml의
   생리식염수를 밀어 넣어 쉽게 투여가 되
   면 골수 내로의 적절한 삽입으로 판단하
   고 약제나 수액을 투여한다.

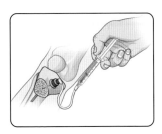 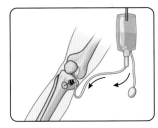

그림 4-4-13. 약물과 수액 주입

05-1
치과에서의 응급처치 - 호흡 곤란

김승오

호흡곤란은 비정상적인 호흡수나 호흡운동의 상태이다. 호흡곤란은 빠르게 호흡부전으로 진행되고 심정지가 일어날 수 있다. 빈호흡과 노력과 기도 소리의 변화, 피부색의 변화, 정신상태의 변화등은 심각한 호흡곤란의 상태임을 알려준다.

> 성인에 비해 소아들은 대사율이 빨라서, 체중당 산소요구량이 높다. 유아의 산소요구량은 분당 6~8 ml/kg이며, 성인은 분당 3~4 ml/kg이다. 따라서 무호흡이나 부적절한 폐포 환기시 저산소혈증과 조직저산소증은 아이에게서 더 빠르게 일어날 수 있다.

◎ 임상증상

- 빈호흡
- 호흡운동 노력의 증가(예: 비공확장, 수축)
- 부적절한 호흡운동 노력(예: 저환기, 서호흡)
- 비정상 기도 소리(예: 천명, 쌔근거림, 그르렁거림)
- 빈맥
- 창백, 차가운 피부
- 의식수준의 변화

이러한 신호들은 심각도에 따라 다양하다.

공기 흐름과 기도에 대한 저항은 기도 반지름의 네 제곱에 반비례한다(그림 5-1-1). 따라서 기도 지름이 조금만 감소해도 기도저항과 호흡운동의 일은 급격히 증가한다.

1) 기도 폐쇄

기도(흉곽밖의 기도)의 폐쇄는 코, 인두, 후두에서 발생할 수 있다. 폐쇄는 경미한 것에서부터 심한 것까지 발생한다. 일반적인 상기도 폐쇄의 원인은 이물질의 흡입(예: 음식이나 작은물체)이나 기도의 의원성 폐쇄(예: 진정에 의한 혀의 처짐, 목의 과도한 꺾임)가 있다. 기도 폐쇄의 다른 원인으로는 기도 내강을 막는 덩어리(예: 인두, 편도 비대, 종양), 끈끈한

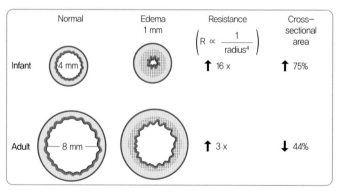

그림 5-1-1. 유체역학법칙 저항은 반경의 4제곱에 반비례한다.

분비물, 기도가 좁아지는 선천적 비정상(예: 선천적 성문하 협착증) 등이 있다. 기도 폐쇄는 주로 혀의 뒤로 처지는 인후두 부위에 발생한다.

기도 폐쇄의 신호는 흡기 중에 가장 자주 일어나며 다음 것들을 포함할 수 있다.

- 빈호흡
- 증가된 흡기나 호흡의 노력(예: 흡기의 수축, 비익 확장)
- 목소리의 변화(예: 쉰 목소리), 울음, 심한 기침
- 쌔근거림(보통 흡기에서 일어나나 호기에서도 발생)
- 흉곽 확장의 부족
- 청진 시 공기 흡입의 부족

(1) 치료

기도 폐쇄의 일반적 관리는 아래와 같이 표시된 초기 개입을 포함한다. 추가적인 방법은 폐쇄를 완화하는 데 중점을 둔다.

이런 방법은 다음의 기도 열림을 포함한다.

- 편안한 자세로 있게 한다
- 턱 들기 또는 머리 젖히고 턱 들기 같은

ℹ 상기도 폐쇄의 다른 신호

다른 신호로는 청색증, 침흘림, 기침, 시소 호흡등이 있다. 호흡률은 약간만 증가될 수 있는데 빠른 호흡률은 거센 흐름을 만들고 공기흐름의 저항을 증가시키기 때문이다.

ℹ 호흡부전의 가장 많은 호흡억제기전

자발 호흡은 뇌간에 위치한 호흡 중추가 담당한다.

중추신경계의 감염, 뇌의 외상, 약물 남용과 같은 조건에서는 호흡운동이 손상되어 저환기나 무호흡이 될 수 있다.

특히 opioid, barbiturate, 그리고 propofol등은 뇌의 호흡 중추나 연수의 화학수용체에 작용하여 과탄산혈증에 대한 보호반사를 감소시킨다.

호흡부전 인지

환자가 숨쉬기 불편해 하면 기도폐쇄 등의 원인을 확인해야 한다. 또한 호기말이산화탄소 분압과 맥박산소 포화도를 확인한다.

손으로 하는 기도 관리 수행

- 이물질 제거
- 코나 입안 석션
- 약으로 기도 종창 감소
- 불안 최소화(불안은 종종 기도 폐쇄를 악화시킨다)
- 전문기도기가 필요한지 결정

입인도기도기나 비인도기도기가 혀로 인한 폐쇄를 완화시키는 데 도움이 될 수 있다. 오직 깊게 의식이 없으면서 구역질 반사가 없을 때 입인도기도기를 사용한다. 구역질 반사가 있는 아이는 비인도기도기로 견딜 수 있다. 비인두 외상과 출혈을 피하면서 조심스럽게 비인도기도기를 사용한다. 출혈 가능성이 큰 아이에서는 비인도기도기를 사용하지 않는다. 의식이 저하된 상태에서 이물질의 자극에 의해 후두경련(laryngospasm)이 종종 올 수 있다. 후두경련(laryngospasm)은 기도개방의 방법으로 반복적 높은 양압환기로 후두경련을 풀어주어야 한다.

과환기증 증상

불안을 느끼는 환자의 손은 차갑고 축축하고 심하며 미세한 떨림이 있다. 환자가 홍조를 띠거나 창백할 수 있으며 이마가 땀으로 젖어 있고, 진료실이 이상하게 덥다고 말한다. 혈압이 상승하고 맥박과 호흡수도 증가한다.

2) 호흡부전의 인지

호흡부전이 왔을 때, 빠른 인지와 즉각적인 개입이 좋은 결과를 이끌 수 있다. 개입 없이 방치한다면, 호흡부전은 심폐부전으로 진행할 수 있으며 심정지가 올 수 있다. 호흡부전으로 심정지가 온다면, 결과는 나쁘다.

3) 과환기증

과환기증은 필요한 환기량보다 많은 환기를 함으로써 발생한다. 과환기증은 치과에서 흔하게 일어나는 긴급상황으로, 환자의 과도한 불안에 의해 주로 발생한다. 그러나, 통증이나 대사성산증, 약물중독, 과이산화탄소증, 간경화, 중추신경계 이상 등의 다른 원인에 의한 경우도 있다.

불안은 과환기증의 가장 흔한 원인이다. 자신의 두려움을 의사에게 숨기려 하고 그것을 스스로 해결하려는 환자에게 잘 발생한다. 환자의 두려움이 해소되면 과환기와 혈관미주신경실신은 거의 일어나지 않는다. 15~40세 환자들에게 잘 발생한다.

(1) 과환기증의 관리

과환기증의 주요 원인이 환자의 불안이므로 환자를 편안하게 해 주고 호흡량을 줄이고 이산화탄소농도를 증가시켜 호흡성 알카리증을 개선시킨다.

> **i 과환기증 예방**
>
> 과환기증은 환자의 불안을 조절한다면 효과적으로 예방할 수 있다. 스트레스 감소법을 시행하면 과환기증을 예방하는 데 도움이 된다.

05-2
치과에서의 응급처치 - 허혈성 질환

강구현

◎ 뇌졸중

뇌졸중은 뇌조직으로 혈액공급이 안되어 뇌세포가 죽는 응급질환이다. 뇌로 가는 혈액이 막혀 생기는 허혈뇌졸중과 혈관이 터져서 생기는 출혈뇌졸중이 있다. 뇌졸중은 생명이 위험하거나 심각한 후유증이 남는 질환이다. 초기에 의심하고 진단하면 후유증을 줄일 수 있다.

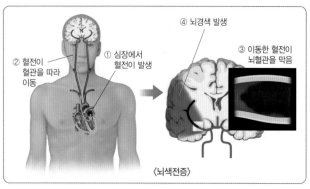

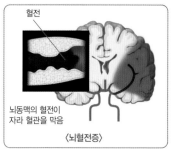

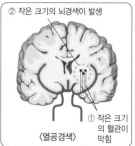

그림 5-2-1. 허혈 뇌졸중

1) 임상 증상

1. 얼굴과 팔다리, 특히 몸의 한쪽 부분이 무감각해지거나 힘이 없어짐

2. 상대방의 말을 이해하기 어렵거나, 말이 잘 나오지 않음

3. 한쪽 또는 양쪽 눈이 잘 보이지 않음

4. 팔다리 움직임의 조절이 어렵거나 어지
   럽고 균형을 잃게 됨
5. 원인을 알 수 없는 극심한 두통

그림 5-2-2. 뇌졸중의 대표적인 조기증상

2) 예방 및 치과적 고려사항

자신의 뇌졸중 위험인자를 인지한다.

- 고혈압
- 당뇨병
- 높은 콜레스테롤 수치

(1) 치료

① 119에 신고한다.

② 기도를 확보하고 환자 모니터를 한다.

③ 산소포화도가 94% 이하일 때만 산소를 투여한다.

④ 뇌졸중초기 치료가 가능한 병원으로 이송을 위해 119 구급대에 환자를 인계한다.

그림 5-2-3. 뇌졸중 치료를 위한 FAST

◉ 급성심근경색증

급성심근경색은 심장근육으로 가는 혈관이 갑자기 막혀 심장근육 세포가 죽는 질환이다. 급성심근경색은 중요 사망원인 중 하나이다. 초기 발견과 처치가 중요하다. 초기에 막힌 혈관을 뚫어주는 재관류 치료가 필요하다. 위험인자를 가진 사람이 전형적인 초기 증상이 있으면 급성심근경색을 의심해야 한다.

1) 임상증상

가장 흔한 증상은 가슴통증이다. 전형적인 가슴통증은 명치부나 가슴 한 가운데에 30분 이상 지속되는 둔탁하고, 조이거나, 짓누르거나, 쥐어짜는 듯하다. 통증이 좌측 팔, 목, 턱 등 배꼽 등에도 있을 수 있다. 심한 가슴통증이 계속되면 심근경색을 의심해야 한다.

2) 예방 및 치과적 고려사항

심근경색 위험인자

- 고령: 남자 ≥ 45세, 여자 ≥ 55세
- 흡연
- 고혈압
- 당뇨병
- 고지혈증

- 비만
- 가족력: 조기 심장병 가족력(직계가족, 남자 〈 55세, 여자 〈 65세)그 외 비만, 운동부족
- 폐경과 경구피임제

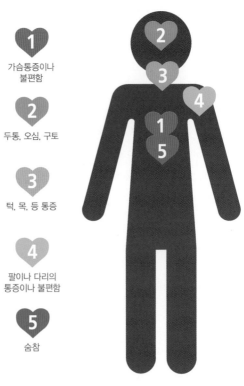

그림 5-2-4. 심근경색 증상

3) 치료

1. 가슴통증이 있는 환자는 우선 급성심근 경색을 의심하고 119에 신고한다.
2. 활력증후를 측정하고 모니터를 한다.
3. 치명적인 부정맥이 발생할 수 있어서 제 세동기를 준비한다.
4. 산소포화도 94% 이상 유지한다.
5. 심근경색 초기 치료가 가능한 병원으로 이송위해 119에 인계한다.

05-3
치과에서의 응급처치 - 간질발작

양훈주

❯ 간질발작

대부분의 발작은 일시적인 뇌기능의 변화다. 기존의 간질환자가 평소와 같은 양상으로 간질발작을 하면 당황하지 말고 발작 중 혹은 발작 후에 발생하는 외상을 예방한다. 간질발작이 없었던 환자가 발작을 일으키거나 간질발작이 짧은 시간 내에 반복적으로 발생하거나 장시간 지속될 때는 위험한 응급 상황이다. 즉각적인 대처가 필요하다.

1) 임상 증상

발작 전에 전조증상이 나타나기도 하며, 강직성 경련, 의식소실이 동반된다. 강직성 경련이 일어나는 동안 호흡 근육이 계속 수축하여 숨을 쉬지 못해 청색증이 나타날 수 있다. 이후에 몸을 떠는 듯한 동작이 나타나며, 혀를 깨물 수도 있으며 요실금을 보이기도 한다. 대개 5분 안에 증상이 완전히 종료된다.

2) 예방 및 치과적 고려사항

간질 병력 환자를 치료할 때 치과치료 중에 급성 발작이 일어날 수 있는 가능성을 대비하고 준비한다. 정신적 스트레스와 피로는 발작 가능성을 증가시킨다. 환자가 치과 공포증이 심하면 진정법 같은 방법을 고려한다. 국소마취제의 과용량 사용은 비간질성 발작의 주요 원인이다. 국소마취제의 적절한 용량 선택이 독성 반응을 예방하는 데 효과가 있다.

3) 치료

(1) 발작 전 단계

발작 병력이 있는 환자가 전조 증상을 보이면, 즉시 치료를 중단하고 응급 구조 팀을 호출한다. 의식을 잃고 경련 전에 환자 입에서 치과 기구를 제거해야 한다.

(2) 발작 단계

발작이 일어나면 바닥에 앙와위(supine position)로 눕혀야 한다. 환자가 치과진료의자에 있는 경우는 의자를 눕혀 앙와위를 유도한다.

기본소생술을 시행한다. 기도 확보를 위해 환자 머리를 젖히고, 분비물을 흡인 한다.

골절과 외상을 예방하기 위해 환자를 잡지

않는다. 발작이 지속되면 항경련제의 투여를 고려할 수 있다. 항경련제는 벤조디아제핀(디아제팜 또는 미다졸람)이다.

(3) 발작 후 단계

기도유지와 충분한 환기가 중요하다. 마스크나 경비 캐뉼라로 산소를 투여할 수 있다.

발작 단계가 끝난 후 혈압과 호흡이 저하될 수 있으므로 일정한 간격(최소 5분마다)으로 생체 징후를 기록한다.

정상적인 뇌기능의 회복은 시간이 걸릴 수 있다.

구조 팀에게 경과를 설명하고 환자를 인계한다.

05-4
치과에서의 응급처치 - 실신

양 훈 주

◉ 실신

실신은 일시적인 뇌 혈류 감소로 인한 짧은 의식 소실을 말한다. 발작에 비해 실신 전 증상이 있고, 경련과 의식 혼미는 없다.

1) 원인
대부분의 실신은 혈관 미주성 실신으로 적절한 처치 후 회복이 가능하다.

다양한 질환, 약물, 요인에 의해 발생한다. 원인을 찾기 어려울 때도 많다.

아래의 경우는 주의해야 한다.

A. 심인성

B. 저혈량성 쇼크

C. 뇌졸중

D. 저혈당

E. 저산소증

F. 약물(고혈압, 협심증 약물, 항우울제, 항부정맥제 등)

2) 처치

A. 즉시 치료를 중단하고 응급구조팀을 호출한다.

B. 기본소생술을 시행한다(의식을 잃으면서 머리나 목 손상이 있을 수 있다).

C. 생체 징후 측정
   - 혈당 측정
   - 심전도 모니터링(가능한 경우 12유도)

D. 병력청취: 실신의 빈도나 기간, 전구 증상, 의식 회복 후의 증상, 그리고 실신으로 인한 외상이 있는지 확인한다. 돌연사나 실신 등의 가족력, 심장이나 신경 질환 등의 병력을 확인한다.

E. 응급처치와 진단을 위해 구조 팀에게 경과를 설명하고 환자를 인계한다.

05-5
치과에서의 응급처치 - 서맥, 빈맥, 저혈압

감 명 환

◎ 서맥

　정상 심박수는 분당 60회에서 100회로 60회 이하를 서맥, 100회 이상을 빈맥으로 정의한다. 보통 심박수가 50회 미만인 경우 증상이 나타나게 되며 치료를 한다. 서맥의 증상은 흉통, 호흡곤란, 의식소실, 위약감, 피곤, 두통, 어지러움, 실신 등이 있다.

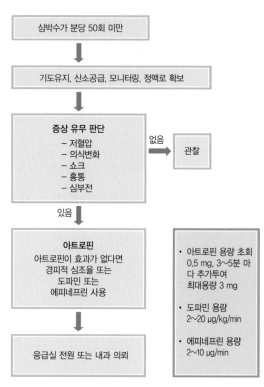

그림 5-5-1. 서맥 알고리즘

◎ 빈맥

빈맥은 심박수 100회 이상으로 정의되지만
치료가 필요한 경우는 150회 이상이면서 증상
이 있는 경우이다. 증상은 저혈압, 의식변화,
쇼크의 징후, 흉통, 심부전 등이다.

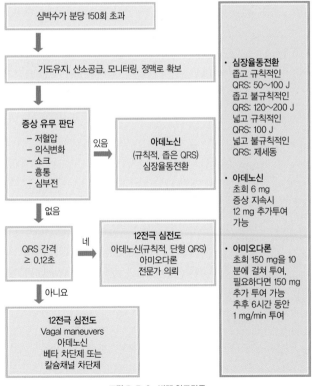

그림 5-5-2. 빈맥 알고리즘

❯ 저혈압

치과에서 발생하는 저혈압의 대부분은 체위성 저혈압이다. 의식소실의 원인 중 미주신경실신 다음으로 많다. 체위성 저혈압은 환자가 앉거나 누웠다가 갑자기 일어났을 때 수축기와 이완기 혈압이 각각 30, 10 mmHg 이상 떨어지는 것으로 정의된다. 갑작스런 저혈압이 발생하고 이차적으로 뇌로 가는 혈류가 감소하여 의식이 소실된다. 체위성 저혈압은 두려움, 불안과 같은 심리적 요인과 관련이 적고 혈압의 항상성 유지 기능이 저하된 기질적 질환이다. 서맥을 보여주는 미주신경실신과는 다르게 체위성 저혈압은 보상성으로 심박수가 높다.

1) 예방
체위성 저혈압 병력을 가진 환자, 치과치료 도중 진정법을 시행받은 환자, 장시간 동안 치과 의자에 누워있던 환자들은 체위성 저혈압 발생 가능성이 높으므로 주의한다.

2) 치료

1. 치과치료를 중단하고, 구조를 요청한다.
2. 바로 누운 자세에서 다리를 올려주어 다리의 정맥혈이 심장으로 순환되는 것을 도와주는 것이 좋다.
3. 활력징후를 측정하고 모니터한다.
4. 저혈압이 지속되거나 의식이 돌아오지 않으면 기도를 유지하고 산소를 공급한다.
5. 정맥로 확보 후 수액요법과 승압제를 사용한다.

05-6
치과에서의 응급처치 - 이물질 흡인

서 광 석

◎ 이물질 흡인

이물질에 의한 기도의 급성 폐쇄는 갑작스럽고 위급한 특성 때문에 즉각적으로 치료되어야 한다. 치과에서 이물질 흡인은 발생빈도가 높으므로 모든 치과 구성원들은 급성 상기도 폐쇄에 대해 적절한 치료를 할 수 있어야 한다.

기도 폐쇄의 종류

이물질에 의한 기도 폐쇄는 수분 내에 심정지가 오는 응급상황인 완전 기도 폐쇄와 긴급상황인 부분 기도 폐쇄의 두 가지로 나뉠 수 있다. 다행히 치과에서 발생하는 이물질 흡인은 대부분 부분 기도 폐쇄이다.

1) 임상증상

부분 기도 폐쇄의 경우 폐내 공기의 흐름이 유지되나, 기도가 좁아져 강한 기침을 하게 된다. 지속적인 기침, 숨막힘, 쌕쌕거림 및 짧은 호흡 등이 있으면 강력하게 기도 내 흡인을 의심한다. 기도 폐쇄가 심한 경우, 가슴과 배가 반대로 움직이는 역설적(paradoxical) 호흡이 나타날 수 있다. 또한, 목소리가 안 나오거나 변하고, 흡기 시간이 현저히 길어진다. 공기의 교환이 불량한 환자에서 심한 저산소증과 고

이산화탄소증이 나타나며 청색증, 기면, 인지장애 등의 증상이 보인다. 이러한 환자에서는 저산소증으로 심정지가 발생을 막기 위해, 완전 기도 폐쇄 환자에서와 같이 119에 신고하고 Heimlich 방법과 같은 응급 기도유지술을 시행한다.

예방 및 치과적 고려 사항

예방법으로는 러버댐과 구강 내 팩킹(packing)의 사용, 환자의 자세, 흡인(suction), 마질(Magil) 겸자 및 입 안에서 사용되는 모든 기구에 치실을 다는 등의 주의를 하면 이물질 흡인은 예방할 수 있다.

2) 부분 기도폐쇄의 치료

(1) 1단계

치과치료 중단 및 구강 내 보이는 이물질 제거

(2) 2단계

바로 누운 자세나 앉은 자세로 있는 환자에서 물체가 구인두 내로 들어갔을 때 환자를 일으켜 세우지 않도록 한다. Magill 겸자가 준비되는 동안 Trendelenburg 자세를 취한다.

(3) 3단계

환자의 의식이 정상이고 기도-호흡-순환에 문제가 없는 경우에 바로 구강내 이물질 제거를 시행한다. 그렇지 않으면 즉시 응급구조를 요청하고 기본생명소생술을 시행한다.

(4) 4단계

정상적인 기침 반사는 효과적이고 많은 경우 흡인된 물체를 제거하는 데 적절하다. 이물질 제거를 위하여 환자의 기침을 도와준다. 이 때 조심해야 할 것은 삼킨 이물질이 날카로운 것이라면 점막 손상이 가능하므로 주의해야 한다. 기관삽관용 후두경이 있으면 Magill 겸자를 이용한 이물질 제거가 보다 효과적으로 가능하다.

(5) 5단계: 이송 및 귀가

병원으로 이송하거나, 별 문제없이 대변으로 자연 배출될 이물질 흡인인 경우 귀가시킨다. 이물질 흡인 당일은 환자가 치과진료실을 떠나기 전에 이물질 흡인 후 생길 수 있는 합병증에 대한 예방, 발견 및 처치에 대하여 주의를 준다.

방사선 촬영

만일 이물질이 입 안에서 눈으로 확인되지 않으면 방사선 사진을 이용하여 위치를 파악해야 한다. 흉부의 전후 및 측면, 복부 방사선 사진을 촬영하고 위치를 확인하여 치료를 전문의와 상의한다.

05-7
치과에서의 응급처치 - 알레르기

서 광 석

❯ 알레르기

치과에서 많이 사용되는 항생제, 진통제 및 국소마취제의 부작용으로 과용량 반응과 알레르기 반응이 있을 수 있다. 알레르기원에 노출된 후 48시간 또는 그 이상이 경과된 후에 나타나는 미약한 반응에서 노출 후 즉각적으로 생명을 위협하는 반응까지 광범위한 임상 증상을 나타낼 수 있다.

알레르기의 유형

제I형 반응 또는 아나필락시스 반응은 치과진료종사자에게 생명을 위협하는 반응 중 하나로 나타날 수 있다. 제IV형 반응은 지연된 알레르기 반응으로, 흔히 임상에서 접촉성 피부염 형태로 보여지는데, 이러한 알레르기 반응을 보이는 치과진료종사자가 상당수로 보고되고 있으므로 주의가 필요하다.

1) 임상증상
(1) 피부 반응

알레르기 피부 반응은 약물에 대한 가장 흔한 감작 반응이다. 많은 형태의 알레르기 피부 반응이 있는데 가장 중요한 세 가지는 국소형 아나필락시스, 접촉성 피부염, 약물 발진이다.

(2) 호흡기계 반응

기관지 경련은 전형적인 호흡기계 알레르기 반응이다. 기관지 평활근의 수축으로 임상적 증상이 나타난다. 갑작스런 알레르기 천식 반응의 증상과 징후는 비알레르기성 천식과 동일하다. 증상으로 호흡 억제, 무호흡, 쌕쌕거림(wheezing), 홍조, 청색증 가능성, 발한, 빈맥, 극도의 불안 증가, 호흡을 위한 보조 근육의 사용 등이다. 호흡기계의 두 번째 알레르기 반응은 성대의 부종과 차후의 기도폐쇄를 일으킬 수 있는 인두의 맥관 부종이다. 급성 기도폐쇄는 즉시 처치하지 않으면 빠르게 사망에 이르게 된다.

(3) 전신형 아나필락시스

전신형 아나필락시스의 증상과 징후는 매우 다양하다. 네 가지 중요한 임상증상이 존재한다: 피부 반응, 평활근 경련(위장관계, 생식비뇨기계, 호흡기 평활근), 호흡곤란, 심혈관계 허탈. 치명적인 아나필락시스의 경우 호흡기계와 심혈관계 반응이 우세하게 나타나고 반응 초기에 나타난다.

ℹ️ **전신형 아나필락시스 반응**

전신형 아나필락시스는 가장 극적이고 급성으로 생명을 위협하는 알레르기 반응으로 몇 분 안에 사망에 이르게 할 수 있다. 많은 환자가 아나필락시스가 일어난 후 120분까지 버틸 수 있다고 하지만 대부분 항원에 노출된 후 처음 30분 안에 발생한다.

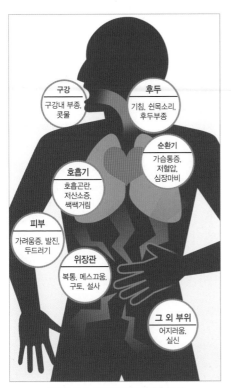

그림 5-7-1. 아나필락시스의 흔한 증상

 아나필락시스의 증상

환자는 기침, 흉부의 압박 느낌, 무호흡, 기관지 경련으로 인한 쌕쌕거림, 인후부 긴장, 연하통(연하 시 타는 듯하고 쥐어짜는 듯한 심한 통증), 후두부종이나 구인두부의 맥관 부종으로 인한 목 쉼 등을 호소할 수 있다. 빠르게 악화되는 아나필락시스는 증상들이 단시간 내에 나타난다.

2) 예방 및 치과적 고려사항

(1) 치료

심혈관계, 호흡기계 증상이 있을 때

① 1단계

치과진료를 중단하고, 응급구조를 요청하고 119에 신고한다.

② 2단계

P. 저혈압이 있으면 반듯이 누운 자세에서 환자의 다리를 10~15℃ 올려 높게 하고, 심혈관계 증상 없이 호흡 곤란이 발생한다면 환자가 편한 자세로 위치하도록 한다.

③ 3단계

필요한 경우 기본소생술을 시행.

산소를 공급하면서 활력징후를 5분마다 측정하고 기록한다. 환자의 기도, 호흡, 순환이 평가되면 필요한 단계의 절차가 행해져야 한다. 가능하면 정맥로를 확보한다.

④ 4단계

심혈관계 또는 호흡기계를 포함하는 아나필락시스 반응에 대한 처치로 1:1,000 에피네프린을 성인 0.3 mg, 소아 0.15 mg, 영아의 경우

0.075 mg 근주한다. 에피네프린은 필요한 경우 매 5~20분마다 투여할 수 있으며 총 3회 용량까지 사용할 수 있다. 환자에게서 약리효과 또는 부작용이 나타나는지 관찰한다.

필요하면 스테로이드(hydrocortisone 125 mg 정주)와 혈압상승제(5~10 mg ephedrine)를 적정하여 사용한다.

⑤ 5단계

환자 이송. 응급구조팀에 환자 인계 후 환자와 동반하여 병원 후송하여 의사에게 환자 인계한다.

06
심정지

심정지의 치료단계는 아래 그림과 같이 5개의 연속된 단계로 구성이 되어 있다.

| 심정지의 예방과 조기발견 | 신속한 신고 | 신속한 심폐 소생술 | 신속한 제세동 | 효과적 전문소생술과 심정지 후 치료 |

그림 6-1. 심정지 생존사슬

◎ 심정지 예방과 조기 발견

심정지 환자 생존율은 낮다. 심정지를 예방이 중요하다. 심장, 뇌혈관 질환 위험인자를 줄여 심정지를 예방할 수 있다.

심정지 교육을 하여 심정지 발생 시 목격자가 신속하게 응급의료체계에 신고할 수 있게 해야 한다.

심정지 인지 후

심정지가 발생한 사실을 인지하면 자리를 떠나지 말고 크게 소리쳐서 소생팀 및 제세동기를 요청하고, 기본소생술을 시행해야 한다.

제세동기 요청

제세동기는 심정지 리듬이 제세동 가능/제세동이 필요 없는 리듬을 구분하여 제세동을 하기 위한 것뿐만이 아니라, 심정지 치료의 방향을 결정하는 매우 중요한 장비이다. 즉, 제세동기의 리듬을 판독하고 이에 따른 치료를 하는 점은 기본소생술과 가장 차이가 나는 점이다.

심정지는 제세동기 등의 심장 모니터가 아니라 보고, 만져서 확인한다.

◉ 신속한 신고

심정지가 의심되는 환자(의식, 호흡, 움직임이 없는 환자)가 있으면 즉시 119에 신고한다. 환자 양쪽 어깨를 가볍게 두드리며 "괜찮으세요?"라고 크게 물어본다. 반응과 호흡이 없으면 119에 신고한다.

심정지는 혼수, 자극에 대한 무반응, 무호흡, 차가운 피부 외에도 경련발작, 심정지호흡(헐떡임, gasping 또는 agonal respiration) 또한 흔히 볼 수 있다. 이를 구분할 수 있게 하는 구체적이고 영상을 기본으로 하는 교육 훈련이 필요하다.

의료인은 10초 이내에 맥박과 호흡 유무(비정상 호흡 여부) 확인한다.

병원에서 심정지가 발생하면 원내 소생술팀을 호출하고, 제세동기와 응급카트를 요청한다.

◉ 신속한 심폐소생술

심정지를 목격한 사람은 가슴압박을 시작한다.

소생술팀이나 구급대 도착 전까지 심정지 목격자나 주변인이 즉시 심폐소생술을 시작한다.

심정지 초기 5분 정도는 호흡보다 가슴압박이 더 중요하다. 1인 구조자가 30:2로 압박과 환기를 시행하는 경우 호흡을 하기 힘들면 소생팀이 도착할 때까지 가슴 압박만 할 수 있다.

◉ 신속한 제세동

제세동은 빨리 시행할수록 효과적이다. 심실세동의 제세동 성공율은 1분마다 7~10%씩 감소한다. 심실세동 후 10분 정도가 지나면 소생이 어렵다. 심정지에서 신속한 제세동은 중요한 생존 사슬이다.

자동제세동기는 심정지 환자에게 패드를 붙여 놓으면 환자 심전도를 판독하여 자동으로 제세동을 한다. 교육받은 일반인도 안전하게

가슴압박 지연의 최소화 강조

수동 제세동기의 충전속도와 제세동기가 충전되는 동안 가슴압박을 시행해야 한다. 제세동기 충전 시간이 10초 이상이면 제세동기가 충전되는 동안 가슴압박을 지속한다.

고품질 가슴압박

고품질의 가슴압박은 심정지동안 계속되어야 한다.

1. 가슴압박 속도: 100~120회/분
2. 가슴압박 깊이: 약 5~6 cm
3. 완전한 가슴이완
4. 가슴압박 중단 최소화
5. 과환기하지 않는 인공호흡

사용할 수 있다. 자동제세동기는 음성지시에
따라야 하므로 리듬분석과 제세동에 시간이
많이 걸리고, 가슴압박을 중단 시간이 길어질
수 있다. 가능하면 병원내 심정지 상황에는
수동제세동기 사용을 권장한다. 의료진은 제
세동이 필요한 리듬을 알고 제세동기 사용법
을 알아야 한다.

◑ 고품질 전문소생술과 심정지 후 치료

1) 고품질 전문소생술

전문소생술은 정맥로/골내주사, 전문기도유
지술, 약물 투여를 하는 과정이다. 전문소생
술 단계에도 고품질의 가슴압박은 중요하다.

심폐소생술이 진행되는 짧은 시간 동안 다
양한 술기와 약물 투여가 신속히 수행되어야
한다. 소생팀 접근을 통한 효율적인 전문소생
술이 심정지 환자 소생에 중요하다.

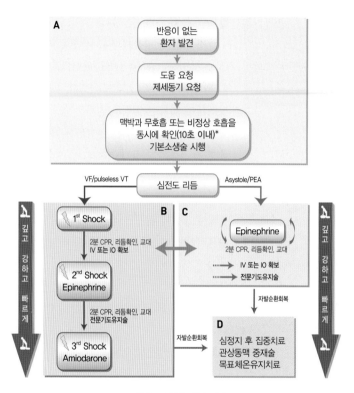

그림 6-2. 전문소생술 단계

리듬 확인 시에 모니터를 확인해서 리듬이 PEA와 같은 리듬이 보이면 심전도 진단과 동시에 맥박을 확인하여 PEA 여부를 확인해야 한다.

VF 또는 Asystole은 모니터를 통해 리듬 확인 후 맥박의 확인과정이 필요 없다. 이 경우 맥박뿐만이 아니라 혈압을 측정하라는 처방을 내리는 아주 잘못된 경우도 있다.

최근 출시되고 있는 제세동기의 에너지 줄은 두단계로 되어 있다. 즉 150 Joule을 권고하고 있으나(표시가 되어 있음), 최고 Joule은 200까지 되어 있는 것이다. 무반응성 VF 또는 VT에서 권고 에너지인 150 J에 반응하지 않는다면 200 J로 상향 조정하여 제세동을 할 수 있다.

2) 심정지 후 치료

심정지에서 회복되어도 심정지후증후군(post-cardiac arrest syndrome)으로 사망할 수 있고, 신경학적 결과도 나쁘다. 따라서 자발순환이 회복된 심정지 환자는 통합적인 심정지 후 치료가 필요하다. 심정지 후 치료는 중환자 치료와 목표체온치료, 급성심근경색 의심환자에서 심장동맥중재술 시행, 경련발작 치료 등이 포함된 통합적 치료과정이다. 심정지에서 소생된 환자는 심정지 후 치료를 위해 전문적인 의료기관으로 이송해야 한다.

⊙ 알고리즘 구역의 세부 치료 항목

1) 제세동시 전기 에너지량

이상파형은 각 제조사의 권고 에너지량(보통 120~200 J)으로 시행한다.
권고량을 모르면 200 J로 시행한다.
단상파형은 360 J로 한다.

- 호기말이산화탄소가 10 mmHg 미만이거나, 이완기 동맥압이 20 mmHg 미만인 경우에는 가슴압박을 충실하게 또는 시행자 교체

- 정맥로 확보가 어려우면 골내주사를 시행한다.

정맥주사, 기관삽관은 가슴압박에 비해 상대적으로 중요성이 매우 떨어지므로 서두르지 말고 팀원이 충분히 모인 경우(최소 4인 이상) 시행한다.

2) 전문기도 확보와 환기

- 가슴압박을 효율적으로 할 수 있을 때 신속하게 시행, 성인 환기백의 1/3만 짜고, 6초마다 1회의 환기(분당 10회 시행)

3) 약물

투여 방법은 덩이정주와 수액 급속주입 (bolus IV push and flushing)

- 에피네프린 1 mg 3~5분마다

과환기 방지

기관내삽관 등의 전문기도 확보가 된 후 과환기 발생은 매우 심각하다. 팀리더는 '가슴압박을 수준높게, 과환기 방지'를 위해 지속적으로 감시하고 요청해야 한다.

4) 심정지의 가역적인 요인(5H's & 5T's)

심정지 리듬에 관계없이 신속하게 찾으려고 노력해야 한다.

5H's	5T's
Hypovolemia (저혈량증)	Tension pneumothorax (긴장성 기흉)
Hypoxia (저산소증)	Tamponade, cardiac (심장눌림증)
Hydrogen ion (대사성 산증)	Thrombosis, coronary (급성 관상동맥 증후군)
Hyper/Hypokalemia (고/저칼륨혈증)	Thrombosis, pulmonary (폐동맥색전증)
Hypothermia (저체온증)	Toxins (중독)

5) 병원 내에서 심폐소생술을 중단하는 상황

병원에서 심폐소생술을 중단하는 결정은 치료하는 의료인에게 달려있다. 목격된 심정지 여부, 심폐소생술의 시간, 최초의 심전도 리듬, 제세동까지의 시간, 동반질환, 심정지 이전의 상태, 자발순환회복(ROSC) 여부 등의 항목을 고려해야 한다. 그리고 종료 결정은 현장에 있는 의료인 중 리더가 해야 한다.

- 자발순환회복이 되었을 때
- 매우 치명적인 경우
- 30분 이상 심폐소생술을 했으나 반응이 없는 경우

07
응급의료진에게 환자 인계하기

김현정

치과에서 발생한 응급환자는 응급의료진에게 체계적으로 환자의 응급과 관련된 사항을 전달해야 한다.

응급상황에서 의료진 사이의 정확한 의사소통은 매우 중요하기에, 치과진료실에서 발행한 응급환자의 인계 시 응급의료진에게 다음과 같이 체계적으로 환자의 상황을 전달하는 것을 추천한다.

미국의학연구소(Institute of Medicine, 2000)[1]는 "To Err is Human: Building a Safer Health System" 보고서를 통해 의료진 사이의 정확한 의사소통이 환자안전에 매우 중요함을 강조하였다. 또한 미국의 의료기관 평가위원회가 발표한 보고서에 따르면 의료진 사이의 잘못된 의사소통이 의료 사고의 70%를 차지하고 있다(The Joint Commission, 2012)[2].

1. Institute of Medicine (2000). To Err Is Human: Building a Safer Health System(Report in Brief). Retrieved from http://www.iom.edu/~/media/Files/Report%20Files/1999/To-Err-is-Human/To%20Err%20is%20Human%201999%20%20report%20brief.pdf
2. The Joint Commission (2012). Sentinel Event Statistics Data -Root Causes by Event Type (2004 - Q2 2012). Retrieved from http://www.jointcommission.org/assets/1/18/root_causes _event_type_2004_2Q2012.pdf.

1. 응급의료에 관한 법률 제 49조(출동 및 처치 기록)

응급구조사가 출동하여 응급처치를 행하거나 응급환자를 이송한 때에는 지체 없이 출동 사항과 처치 내용을 기록하고 이를 소속 구급차 등의 운용자와 해당응급환자의 진료의사에게 제출하여야 한다. 다만, 응급구조사를 갈음하여 의사나 간호사가 탑승한 경우에는 탑승한 의사(간호사만 탑승한 경우에는 탑승 간호사)가 출동 및 처치 기록과 관련한 응급구조사의 임무를 수행하여야 한다.

2. 시행규칙 제40조(출동 및 처치기록의 내용 및 방법)

의사, 간호사 또는 응급구조사(이하 "응급구조사등" 이라 한다)는 법 제49조제1항의 규정에 따라 출동사항과 응급처치의 내용을 별지 제16호서식의 출동 및 처치기록지에 기록하여야 한다.

위의 법률에 근거하여 다음과 같은 순서로 응급구조 의료진에게 환자의 정보를 제공하기를 권장한다.

1. 본인의 소속, 자격, 성명
2. 환자의 연령, 성별, 체중
3. 치과질환 및 치료법
4. 시간 경과에 따른 환자의 주증상 및 진행된 처치
5. 시간 경과에 따른 활력징후와 의식 상태, 호흡, 순환 등 주요 증상 변화
6. 응급상황 발생 원인
7. 주요 병력 정보
8. 입원, 알레르기 기왕력
9. 약물복용력
10. 마지막 음식 섭취 시간
11. 기타 환자의 의학적 중요 사항

표 7-1. 응급 관련 의료진에게 환자 상태 설명 례

본인소개	대한치과의원 원장
환자정보 (성별, 나이, 몸무게, 치과질환)	남성, 60세, 70 kg, 치아손실
환자정보(주증상)	진정법 하임플란트 식립 중 오전 10시 흉통 호소
응급증상과 징후	설하에 NG 투여 후 흉통의 변화 관찰 중, 5분 경과 후에도 흉통이 사라지지 않음
응급처치(치료)	산소 마스크로 10 L/min 산소 공급, 활력징후는 정상이었으나 심전도에서 ST분절상승을 확인하여 심근경색 의심
환자 과거력	25년 전부터 고혈압 당뇨 진단하에 약물 복용 중, 10년 전 2 vessel 관상동맥질환 진단받아 주기적으로 심장내과 진료 중
병원 입원력 (무슨 질환으로, 수술 .. 등)	병원 입원력 없음
복용 중인 약	
마지막 음식 섭취	아침 6시 물 한 잔
중요 임상상황 요약	흉통 발생 후 지금까지 5분마다 측정한 활력징후는 정상. 의식의 변화도 없음

심정지 후 통합치료

강구현

심정지에 의한 허혈과 자발순환회복 후 재관류에 의한 손상을 심정지 후 증후군(post-cardiac arrest syndrome)이라 한다. 심정지 후 증후군은 심정지 후 뇌 손상, 심근 기능부전, 허혈/재관류 반응, 그리고 촉발 원인 질환으로 구성된다. 이러한 손상을 막기 위해 자발순환 회복후에 통합적인 치료가 필요하다.

1) 자발순환 회복을 확인한다.
- 목동맥을 만져 맥박이 만져지면 자발순환회복(Return of spontaneous circulation, ROSC)이다.
- 자발순환이 회복되면 가슴압박과 심정지 약물투약을 중단하고 재평가를 한다.

2) 기도확보, 호흡유지, 환자의식 확인
- **의식확인**: 큰소리로 환자를 깨워본다. 환자 의식이 명확하지 않으면 저체온 치료를 고려해야 한다.

- **기도확보**: 기도를 다시 확인하고 필요하면 전문기도술을 시행한다.

3) 자발순환회복이 되면 혈압, 맥박, 산소포화도를 다시 확인한다.
- **혈압**: 자발순환회복 후 저혈압(수축기혈압 90 mmHg 이하 또는 평균 동맥압 65 mmHg 이하)이면 수액투여를 할 수 있다.
- **산소포화**: 산소포화도는 94% 이상을 유지하게 산소를 조절한다.
- **호기말이산화탄소분압**: 30~40 mmHg을 유지한다.

4) 심전도를 확인한다.

12 리드 심전도가 가능하면 시행한다. 심전도에서 ST절이 올라 있는 심근경색이 있는지 확인한다.

5) 심정지 원인 조사와 통합치료가 가능한 병원으로 이송한다.

119에 연락하여 이송한다.

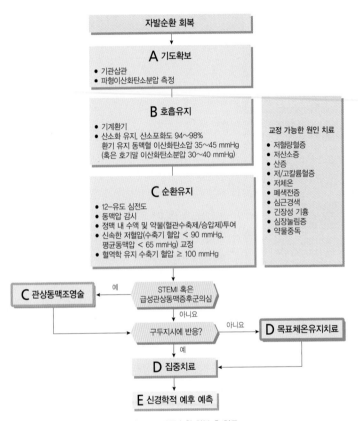

그림 8-1. 자발순환 회복 후 치료

DALS 시뮬레이션과 디브리핑(Debriefing)

강구현

DALS 시뮬레이션은 강사가 실습 방법을 소개하고 심정지 시나리오를 브리핑하고 시작한다. 브리핑은 실습에 참여하기 위해 필요한 정보를 알려주는 시간이다. 실습을 할 때 어색하지 않도록 실습환경을 소개하고 진행방법을 알려준다. 강사는 지식이나 기술을 가르쳐주는 강의를 하지 않는다.

실습이 시작되면 강사는 시뮬레이터를 조작하면서, 교육생들 행동을 관찰한다. 강사는 실습 이후 디브리핑을 시작한다. 디브리핑은 교육생들이 배운 것을 정리하는 시간이다. DALS 디브리핑은 교육생을 중심으로 구조화되고, 지지적인 방법으로 시행한다. 교육생을 평가하고 질책하는 것이 아니라, 교육생이 스스로 전문소생술 알고리즘을 검토할 기회를 제공한다.

DALS 시뮬레이션의 목표는 반복된 실습을 통해 전문소생술 알고듬에 익숙해지는 것이다. 강사와 교육생은 시뮬레이션을 반복

> ### ⓘ 브리핑과 디브리핑
>
> **1. 브리핑**
> 어떤 행동, 과정, 절차를 시행하기 위한 계획을 사전에 검토하는 과정이다. 실제 역할이 시작되기 전에 교육생의 역할을 나누고 준비하는 과정이다.
>
> **2. 디브리핑**
> 어떤 행동, 과정, 절차, 사건 등이 완료된 후 상황을 검토하고 필요한 정보를 찾아내는 과정이다. 시행한 행동과 절차를 되돌아보고, 다음 과정에 사용할 향상된 계획을 만든다.

ℹ 디브리핑의 중요성

강의나 실습 시연처럼 강사가 주도하는 교육은 하나의 정답만을 주입식으로 가르친다. 빠르게 배울 수는 있지만 맥락을 이해하지 못하고 얕은 지식습득에 머무르게 된다. 먼저 실습을 한 다음, 배운 것을 확인하는 디브리핑 과정을 거치면 교육생은 다양한 상황에 대응할 수 있는 순발력과 통찰력을 가지게 된다. 복잡한 문제가 무엇이고 자신이 능숙하지 못한 부분을 어떻게 채워 나갈지 아는 것이 전문가가 되기 위한 첫걸음이다.

하면서 소생팀 활동을 점검하고 개선시켜 나간다. 이번 장에서는 반복되는 실습 전후에 시행하는 브리핑과 디브리핑 방법을 살펴보려고 한다.

❯ 시뮬레이션 실습을 시작하기 전에 할 일

1) 교육목표 설정 및 교육생의 특성 파악

심정지는 심장질환 이외에도 호흡부전, 의식소실, 외상, 감염, 약물 부작용 등 다양한 원인으로 발생한다. 이 때문에 환자와 직접 만나는 여러 직종의 의료인들이 전문소생술 배우고 있다. DALS 강사는 다양한 배경지식과 경험을 가진 교육생을 대상으로 실습을 진행하게 된다. 교육생의 배경지식이 부족하면 추가적인 강의나 실습시간이 필요하다. 경험이 많은 교육생이 심전도, 기도관리 등에 대한 질문이 많다면 과정이 늦게 끝난다. 교육생의 특성에 따라서 교육 내용과 시간은 변경될 수 있다.

DALS 교육은 소생팀 훈련이다. 치과분야 모든 의료인들이 함께 교육을 받는다. 교육생들의 배경지식과 교육 요구도가 달라서 일부

교육생에만 초점을 맞추어 실습하기 어렵다. 다양한 팀원들이 서로 역할을 조정하여 더 나은 치료를 제공하는 팀훈련이 강조된다.

2) 실습 소개

처음 소생팀 훈련을 시작하면 많은 것이 어색하다. 익숙한 동료들이 아닌데 도움을 요청해야 하고, 내가 할 일이 아닌데 어쩔 수 없이 해봐야 한다. 소생팀 훈련은 여러 팀원의 역할을 바꾸어 익숙하지 않은 역할을 실습하기 때문에 생기는 일이다.

마네킨으로 치료하는 연기하는 것도 이상하다. 혈관을 찌르는 것도 아닌데 정맥혈관으로 약을 주는 연기를 한다. 실제로 하지 않은 처치와 검사도 말로 했다고 선언해야 한다. 시뮬레이션 훈련은 진짜 같은 환자를 만드는 훈련이 아니라 진짜 같이 소생술을 잘하는 교육생을 만드는 훈련이기 때문이다.

실제 환자를 치료할 때보다 말도 많이 해야한다. 환자 상태나 반응도 다른 팀원들이 보면 알 수 있는데 말로 알려주라고 한다. 팀원간 협력 수준은 어떤 대화가 오가는지에 따라 달라지기 때문에 팀훈련에서 말하는 방법도 연습한다. 교육생들이 이런 규칙을 알지 못하면 적극적인 팀 훈련이 이루어지지 않는다. 실

 동기부여의 방법

자기주도 학습에서 학습동기가 충분한 실습생은 학습목표에 몰입한다. 새로운 아이디어를 제시하고, 열정과 의욕을 보여준다. 일을 주도적으로 처리하고, 자신과 동료의 능력 향상을 위해서 노력한다. 평균적인 목표와 기대수준을 뛰어넘는다.

동기부여가 된 DALS 강사는 환자에게 도움을 줄 수 있는 의료인을 만들기 위해서 열정과 의욕을 가진다. 교육생들이 스스로 배움의 동기를 찾고, 본인의 업무에 활용할 수 있도록 DALS 강사는 다음과 같은 방법을 사용한다.

- **인정하기**: DALS 강사는 교육생들을 존중하고, 스스로 실습하고 고민할 수 있는 기회를 제공한다.
- **역량 강화**: DALS 강사는 책임있게 가르치고, 교육생이 실제 실행할 수 있게 도와준다.
- **긍정적 피드백**: DALS 강사는 실습생들의 행동을 관찰하고 좋은 행동을 반복하고 발전할 수 있게 긍정적인 면을 칭찬한다.
- **기대**: 실습 내용의 어려운 점만 강조하면 교육생들이 힘들어서 포기하고 의욕을 잃게 된다. 교육생을 믿고 "다시 하면 더 잘할 수 있다"는 말 한마디가 새로운 의욕을 불러 일으킨다.

습 전에 시뮬레이션 특성과 실습 진행방식을 알려주면, 실습이 원활하게 진행된다. 실습 진행 순서, 팀원들의 역할, 실습 횟수, 쉬는 시간을 미리 알려주면 실습에 집중하게 된다.

3) 동기부여

DALS 목표는 환자에게 전문소생술 지침에 따른 수준 높은 팀소생술을 시행하는 것이다. 많은 병원에서 심정지 안내 방송을 만들고 심폐소생팀을 운영하지만, 환자 곁에 있는 의료인의 역할이 크다. 강사가 가르치는 것에서 교육생이 스스로 배우도록 바꾸는 열쇠는 '동기'이다.

의료인은 왜 소생술을 배워야 할까? 이미 심장이 멎은 환자고, 모든 의료인이 소생술을 잘 할 수 없지 않을까? 기본소생술만 배우면 되지 않을까? 이러한 질문에 답할 수 없다면, DALS 과정에 참가 해도 시간만 보내게 된다. DALS 강사와 교육생은 과정에서 배운 것을 임상에 어떻게 사용하는가에 대한 질문을 가져야 한다.

학습과정에 적극적으로 참여할 동기를 찾기 위해 강사들은 여러 방법을 사용한다. 최소 수준의 동기를 부여하기 위해 강사는 시험을 강조할 수 있다. DALS 과정은 수료증이 발부되고, 열심히 하지 않으면 시험에 떨어질 것이라고 말한다. 하지만 수료증을 위한 동기는 시험이 끝나는 순간 사라진다. 중간 수준의 동기는 학습에 가치를 더해지는 경우이다. DALS 과정을 마치면 의료인으로서 필수적인 소생 치료를 배우게 되는 것이라고, 좀더 실력 있는 의료인이 될 수 있는 방법이라고 말한다. 책임감으로 채워진 동기는 일상의 중압감 속에서 희석된다. 심정지 환자를 주로 치료하지 않는 의료진은 빠르게 소생술의 방법과 중요성을 잊어간다.

수준 높은 동기는 자기 개발의 즐거움에서 생겨난다. 전문소생술은 소생술을 잘 하는 방법만이 아니라, 의료인이 일상에서 느끼는 의료사고 위험성을 줄여 나가는 방법이다. 팀접근 방법을 통해 혼자 감당할 수 없는 중증 환자를 살리고, 내가 일하는 의료기관을 안전하고 일할 만한 곳으로 바꾸는 변화이다. 강사는 교육생 수준에서 학습 필요성을 발견하고, 자기 개발 방향을 알 수 있는 기회를 주어야 한다. 팀원의 기대와 신뢰 속에서 교육생들은 자기 개발 방향을 찾아간다.

잘된 소생팀과 잘못된 소생팀의 차이점

성공적인 시뮬레이션은 교육생들이 과정 중에서 스스로 발전한다. 리더 역할을 바꿔 실습을 반복할수록, 주도적인 교육생들은 실력이 향상된다. 나쁜 시뮬레이션실습은 강사가 주도적으로 학생을 가르치고, 교육생은 수동적이 된다. 실습이 반복되어도 교육생들이 지루해하고 실력이 늘지 않는다.

● 시뮬레이션 실습을 마치면 할 일

1) 긴장 풀어주기(Ventilation)

심정지 실습이 끝나면 누구나 스트레스를 받는다. 흉부압박도 힘들고, 리더와 팀원의 역할도 어색하지만, 가장 힘든 것은 잘 모르는 사람들 앞에서 실수를 하는 것이다. 익숙하지 않기 때문에 할 일을 빼먹기도 하고, 심전도 리듬을 틀리게 판독할 수 있다. 남들 앞에서 실수하는 것은 혼자 실수하는 것보다 더 창피한 일이다.

실수를 교정하며 실습을 반복하는 것이 실력을 가장 빠르게 늘리는 방법이다. 실습과 실습 사이에 개선점을 찾아보고 다음 실습을 준비하려면 남들 앞에서 실수하는 것이 덜 힘들어져야 한다. DALS 강사는 실습이 끝나면 먼저 교육생들 긴장을 풀고 객관적인 입장에서 절차와 행동을 점검할 수 있도록 도와준다.

실습 후 긴장을 풀기 위해 자리에 앉는 것이 좋다. 바로 강사가 평가를 하는 것보다 교육생 스스로 자기 경험을 돌아보는 것이 좋다. 교육생들 중에서 객관적으로 관찰할 수 있었던 사람부터 말을 시키는 것이 좋다. 실습이 끝나자마자 스트레스가 가라앉지 않은 채로 강사가 리더에게 "무엇이 잘못 되었냐"

고 격앙된 어조로 묻는 것이 가장 나쁜 방법이다. 실수하지 않으려고 움츠리기 시작하면 교육생들은 말이 없어지고, 서로 협조하는 팀 분위기도 생기지 않는다.

2) 긍정적 피드백과 먼저 칭찬하기

교육생들의 긴장을 풀고 스스로 개선할 방향을 찾도록 긍정적 피드백과 먼저 칭찬하기를 사용한다. 개선점만 찾아낸다고 교육생들의 변화가 이루어지지 않는다. 성공적인 절차를 확인하고 긍정적인 행동을 반복하여 개선할 행동을 찾으면서 전체적인 수준을 향상시키는 것이 중요하다.

잘못된 행동이나 절차를 바꿀 때도 "틀렸다, 제대로 해"라는 부정적인 피드백은 변화를 만들기 어렵다. 구체적인 방법을 알려주고 "이렇게 하면 다음에는 더 잘 할 수 있다"는 긍정적인 피드백이 필요하다.

팀워크는 상호존중에서 시작된다. 야단치거나 부정적인 피드백을 주기 전에 칭찬이나 긍정적인 피드백을 통해 상호 도움을 주는 관계를 만들어야 한다. 상대방을 칭찬할 때는 "잘 생겼다, 인상이 좋다" 같은 내용보다 소생술 실습 중에 "지쳤을텐데도 흉부압박을 중단 없이 계속했다, 지체 없이 심전도를 판독하고

ⓘ 구조화된, 지지적인 디브리핑

DALS 실습은 짧은 시간 동안 강사가 많이 가르쳐 주는 것이 아니다. 교육생이 여러 번 훈련하여 스스로 전문소생술을 익히는 것이다. 표준화된 교육생중심 교육을 위해 DALS 디브리핑은 구조화된 지지적인 방식을 시행한다.

DALS 디브리핑은 알고리듬과 체크리스트의 표준화된 학습목표를 바탕으로 시행한다. 디브리핑 순서는 1. 정보수집(Gathering), 2. 분석(Analysis), 3. 요약(Summary)의 순서로 진행한다. 학습자가 스스로 알고리듬을 따랐는지 확인하고, 개선 방안을 배울 수 있는 순서대로 디브리핑을 시행한다.

학습자 중심 실습에서 강사 역할은 전통적인 교사의 역할과 다르다. 강사주도 학습은 학생을 평가하고, 모범적인 정답을 제시하는 것이다. 반면에 학습자주도 학습은 교육생들이 실습에 몰입할 환경을 만들고, 다음 과정으로 이어갈 수 있도록 좋은 질문을 제시한다. 자기주도적인 학습의 촉진자(Facilitator)가 강사이다.

제세동을 빠르게 했다"라고 구체적인 행동을 칭찬한다.

3) 디브리핑

실습 사이에 개선점을 찾고 다음 실습을 준비하는 과정이 디브리핑이다. DALS 디브리핑은 계획대로 진행하며, 교육생에게 격려하는 방식이다. 강사는 교육생의 행동을 평가하거나 본인이 직접 문제를 풀어주기 전에, 교육생들이 주도적으로 정리할 수 있도록 다음과 같은 질문을 한다.

1. 정보수집(Gathering)
   - 어떤 일이 발생했습니까? 어떤 느낌이었습니까?

2. 분석(Analysis)
   - 참여자들이 어떻게 행동했습니까?
   - 올바른 처치가 무엇입니까?

3. 요약(Summary)
   - 어떤 것을 배웠습니까?
   - 개선점이 있습니까?

정해진 방법으로 반복 실습을 위해 교육생 중심 디브리핑을 추천한다. 교육생들은 스스로 실습 경험을 정리한다. 무엇을, 언제, 어디서, 어떻게, 왜 했는지 확인하고 개선점을 찾는다. 강사는 학습목표를 잘 알고 GAS 패턴으로 학생들이 스스로 정리할 수 있도록 강의나 실습 시범을 하지 않는다.

4) 다음 실습으로 이어가기
(디브리핑이 다시 브리핑으로)

디브리핑은 실습을 정리하는 과정이지만, 다음 실습을 준비하며 절차와 행동을 개선해 가는 과정이다. DALS 실습에서 리더를 바꾸어 가며 심정지 실습이 반복되기 때문에, 하나의 디브리핑은 자연스럽게 다음 실습을 위한 브리핑 과정으로 연결된다.

실습을 반복하다 보면 새로운 것에 익숙해집니다. 교육생들이 새로운 것에 익숙해지면 강사는 보다 전문적인 내용을 추가한다. 디브리핑도 부분적인 내용에서 전체내용까지 확장된다. 첫 번째 실습은 심전도 판독과 제세동까지 시행하지만, 다음 실습은 팀훈련과 심정지 원인치료까지 다룬다.

DALS 시뮬레이션은 반복되는 실습과 디브리핑으로 이루어진다. 강사는 단계별 실습 목

ⓘ 실패한 디브리핑

3. 강사가 질문하고 강사가 대답한다.
→ 실습을 정리할 때는 스스로 알고리듬을 반복하고 다음 할 일을 미리 떠올려 보아야 빨리 익숙해진다. 강사의 역할은 실습생에게 기회를 주는 것이다.

4. 학습목표에 대한 일관성이 없다.
→ DALS 과정은 심정지 알고리듬을 반복 훈련하는 것이다. 학습목표에 벗어나는 부정맥 치료나, 기관내삽관 등을 가르치려면 다른 강의나 실습 시간이 필요하다.

5. 동기부여 없이 강사가 배우라고 일방적으로 요구한다.
→ 교육이 왜 필요한지 알려주면서 동기부여를 하며 실습에 참여하도록 격려한다.

표와 디브리핑 주제를 안내하고, 교육생은 반복된 훈련과 참여로 실력을 키워간다.

❯ 전문소생술의 리더와 팀원의 위치

실습 중 리더는 환자, 모니터와 다른 팀원들이 모두 잘 보이는 곳에 있어야 한다. 리더는 상황을 모니터하고, 팀원에게 피드백한다.

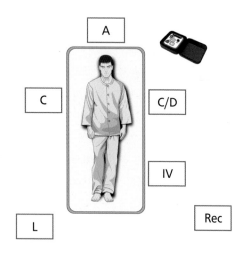

그림 9-1. 전문소생술의 리더와 팀원의 위치

A : 기도관리   C : 흉부압박   D : 제세동 및 모니터링
IV : 정맥주사, 약물투여   L : 팀리더   Rec : 기록 담당

DALS 실기시험지

교육일: 20   년   월   일

Critical Performance Steps 시뮬레이션 증례 번호: ( )	✓ 시행
Team Leader	
본인이 리더 역할임을 알리고, 팀원의 역할을 지시한다(가슴압박, 모니터부착, 기도확보, 정맥로 확보 등)	
고품질의 가슴압박을 확인한다(과환기 방지와 2분마다 교대를 지시한다)	
치과 진료 시 긴급과 응급을 구분한다	
긴급과 응급상황을 알고 즉시 치료를 중단한다(구강 내 이물질을 제거한다)	
의식을 확인한다(양쪽 어깨를 두드린다)	
도움을 요청한다(119에 신고하고 제세동기 요청한다)	
P–A–B–C (Position, Airway, Breathing, Circulation)	
모니터를 부착하고(SPO2, BP, ECG), 산소를 투여한다	
원인에 따른 적절한 처치를 시행한다	
BLS performance	
심정지를 확인한다(맥박과 호흡을 동시에 확인(5~10초))	
심정지 확인 후 지체 없이 고품질의 가슴압박을 시작하도록 지시한다	
백 밸브 마스크로 가슴압박과 인공호흡을 30:2로 실시한다	
DALS algorithm에 따라 팀원과 원활히 협력하여 심폐소생술을 진행한다	
심전도 리듬을 확인하고, Shock/Non shock을 결정한다(2분마다 반복)	
가슴압박 중단을 최소화하며 전문기도 유지기 삽입을 지시한다	
심정지의 가역적인 원인을 확인한다	
팀원에게 소생술의 진행상태를 요약하여 알려준다	
추가적으로 필요한 검사와 치료에 대하여 팀원과 상의한다	

VF/ pulseless VT Management	
VF또는 pulseless VT 리듬을 팀원에게 알린다	
제세동을 지시하고, 제세동 후 바로 가슴압박을 지시한다	
Epinephrine 투여를 지시한다	
PEA/Asystole Management	
Asystole또는 PEA리듬을 팀원에게 알린다	
Epinephrine 투여를 지시한다	
Post Cardiac Arrest Care	
맥박을 확인하고 자발순환회복을 팀원에게 알린다	
의식과 혈압, 산소포화도, 호기말 이산화탄소를 확인한다	
12유도 심전도, 심정지 후 집중치료, 관상동맥 중재술, 목표체온유지치료가 가능한 곳으로 이송한다	
■ 교육생 이름:	
■ 평가 표시 기준: □ 합격 □ 불합격	
■ 실기평가 강사 이름: (서명)	

10-1
응급 상황 시뮬레이션 훈련 - 호흡 시나리오

김승오

교육 목표

- 환자 반응 확인하기
- 비정상 호흡 확인(기도폐쇄와 호흡억제)과
  맥박 촉진하기
- 호흡 곤란과 호흡 부전을 인지하기
- 팀 역할 부여하기
- 기도유지, 인공호흡 및 고급기도유지술
  익히기

등의 학습 성과를 가지게 된다. 즉, 단순한
시나리오라고 하더라도 강사는 분명한 목적을
가지고 학생을 관찰해야 하고, 단계에 따라
학습 목표를 확장시켜야 한다.

표 10-1-1. 호흡 시나리오의 전체 구성

구성	기전	상태	원인	해결
1단계	부분기도폐쇄	호흡곤란	의식저하	Head tilt chin lift
2단계			기도 내 이물질	석션
3단계	완전기도폐쇄	호흡부전	편도비대, 큰 혀	Jaw thrust, 기도유지기 사용
4단계			후두경련	강한 양압환기
5단계	호흡조절장애		깊은 진정	호흡보조
6단계			과잉약물사용	호흡보조, 역전제 투여

❯ # 1 시나리오

47세 고혈압을 가진 비만인 환자가 치과진료를 위해 정주 진정 하에서 치료를 진행하던 중에 호흡이 이상하였다. 응급처치해 보자.

표 10-1-2. 단계별 학습성과

단계별 증상	학습성과	추가 고려사항
호흡 이상	호흡곤란의 인지 진료 중지 코드블루(Code blue) MOB* 요청	
협착음(Stridor) 및 시소 호흡	Head tilt chin lift 시행	기도 폐쇄의 인지 및 기도유지
정상호흡 회복		

*MOB: Monitor, Oxygen, Bag-valve-mask

◎ # 2 시나리오

62세 남자 환자가 불안으로 인해 진정법 하에 치과진료를 하였다. 스케일링을 하다가 환자가 꼴깍 꼴깍하며 숨쉬기 힘들어 하는 것을 발견했다. 응급처치해 보자.

표 10-1-3. 단계별 학습성과

단계별 증상	학습성과	추가 고려사항
호흡 이상	호흡곤란의 인지 진료 중지 코드블루(Code blue) MOB 요청	
이물질에 의한 기도 폐쇄 (꼴깍꼴깍)	양카 석션 3회	
정상호흡 회복		환자 불안 감소

❯ # 3 시나리오

4세 비만 환아가 치과진료를 위해 깊은 진
정 하에서 치료를 진행하던 중에 호흡이 이상
하였다. 응급처치해 보자.

표 10-1-4. 단계별 학습성과

단계별 증상	학습성과	추가 고려사항
호흡 이상	호흡곤란의 인지 진료 중지 코드블루(Code blue) MOB 요청	
협착음(Stridor) 및 시소 호흡	Head tilt chin lift 시행	
증상 지속 산소포화도 < 95	Jaw thrust 기도유지기 삽입	어려운 기도유지 환자에 대한 기도 유지 방법 어린 소아는 편도와 혀가 큰 경우가 많다
정상호흡 회복		

◉ # 4 시나리오

6세 비만 환아가 치과진료를 위해 깊은 진정 하에서 치료를 진행하던 중에 호흡이 이상하였다. 응급처치해 보자.

표 10-1-5. 단계별 학습성과

단계별 증상	학습성과	추가 고려사항
호흡 이상	호흡곤란의 인지 진료 중지 코드블루(Code blue) MOB 요청	
협착음(Stridor) 및 시소 호흡	Head tilt chin lift 시행	
증상 지속 산소포화도 < 95	Jaw thrust 기도유지기 삽입	
무호흡	양압호흡을 5회 정도 실시해도 흉곽상승이 없음 계속 양압호흡을 실시 20초후 백의 저항이 감소됨	후두경련 (laryngospasm)의 처치
정상호흡 회복		

◉ # 5 시나리오

27세 간질 환자가 치과진료를 위해 정주 진정 하에서 치료를 진행하던 중에 호흡이 이상하였다. 응급처치해 보자.

표 10-1-6. 단계별 학습성과

단계별 증상	학습성과	추가 고려사항
호흡 이상	호흡곤란의 인지 진료 중지 코드블루(Code blue) MOB 요청	
호흡 불규칙, 호흡수 감소	Head tilt chin lift 시행	
증상 지속 산소포화도 < 95	산소 투여 보조호흡(BVM) 시행	호흡조절장애(부적절한 호흡률, 호흡노력 감소)의 치료
정상호흡 회복		

❱ # 6 시나리오

67세 불안장애가 있는 환자가 치과진료를
위해 정주 진정 하에서 치료를 진행하던 중에
호흡이 이상하였다. 응급처치해 보자.

표 10-1-7. 단계별 학습성과

단계별 증상	학습성과	추가 고려사항
호흡 이상	호흡곤란의 인지 진료 중지 코드블루(Code blue) MOB 요청	
호흡 불규칙, 호흡수 감소	Head tilt chin lift 시행	
증상 지속 산소포화도 < 95	산소 투여 기도유지기 삽입 보조호흡(BVM) 시행	
호흡 노력 감소	Flumazenil 및 naloxone 등 역전제 투여 고려	Midazolam vs Flumazenil Opioid vs Naloxone
정상호흡 회복		

10-2
응급 상황 시뮬레이션 훈련 - 심정지 시나리오

김 종 빈

학습 목표

- 시나리오 전체 구성을 통한 Step by Step 형식의 시뮬레이션의 교육방법을 이해
- Team Leader의 역할 수행을 인지
- 교육 전 Checklist 항목에 대한 사전 숙지
- 시뮬레이션 시작 전 사용되는 장비와 물품의 위치를 미리 확인

표 10-2-1. 심정지 시나리오의 전체 구성

구성	심전도 리듬	시나리오 과정	설명
1단계	VF/Pulseless VT	VF/Pulseless VT– Defibrillation	VF(or pVT)의 치료과정을 2가지로 분류하여 점진적인 시나리오로 확장
2단계		VF/Pulseless VT – Defibrillation – Epinephrine	
3단계	Asystole/PEA	Asystole – Epinephrine	Asystole/PEA 치료과정을 2가지로 분류하여 점진적인 시나리오로 확장
4단계		PEA – Epinephrine/ H's & T's	
5단계	All arrest rhythm	VF/Pulseless VT – Defibrillation – Epinephrine Asystole/PEA – Epinephrine/ H's & T's ROSC	모든 심정리 리듬의 복합 시뮬레이션으로 단계별 치료과정을 합친 마지막 단계의 시나리오

표 10-2-2. 심정지 시나리오의 전체 구성

Team Leader는 다음과 같은 모든 과정을 인지한다.

고품질의 심폐소생술(high-quality CPR) 지시
① 분당 100~120회의 속도로 가슴 압박
② 약 5~6 cm의 압박 깊이 유지
③ 30:2의 가슴 압박:호흡보조 주기 유지
④ 전문기도유지기(Endotracheal tube, laryngeal mask airway, laryngeal tube, I-gel, esophageal-tracheal tube 등) 삽입 시 6초마다 호흡 보조(분당 10회)
⑤ 가슴 압박 중지(chest compression interruption) 최소화 강조(10초 이내)
⑥ 적절한 가슴 압박과 완전한 이완을 강조
⑦ 과환기 금지 강조
⑧ 2분마다 리듬 확인과 가슴압박자 교대
⑨ 가슴 압박 시 호기말이산화탄소분압 10 mmHg 이상 유지

팀원의 역할 지정 및 팀원의 역할 수행 독려
① Chest compression
② ECG monitoring and defibrillation
③ IV/IO access and medication
④ Airway and ventilation
⑤ Recording

심정지 리듬의 인지와 팀원에게 알림

심정지 리듬에 따른 Shock/Non Shock을 결정하여 필요시 안전하게 제세동 지시

적절한 약물 투여 지시
모든 심정지 환자: 3~5분마다 epinephrine 1 mg IV/IO 투여 지시

상황에 따른 전문기도유지기 삽입 고려 및 호기말이산화탄소분압 감시(capnography) 지시

Team Leader는 다음과 같은 모든 과정을 인지한다.

심정지의 가역적 원인 치료(H's and T's)
(Hypovolemia, Hypoxia, Hydrogen ion (acidosis), Hypo-/hyperkalemia, Hypothermia, Tension pneumothorax, Tamponade, cardiac, Toxins, Thrombosis, pulmonary, Thrombosis, coronary)

심정지 후 통합치료(Post-cardiac arrest care)
① 순환회복(Return of spontaneous circulation, ROSC) 여부 확인과 의식확인
② 혈역학적 징후를 감시하고 필요 시 기관내 삽관 지시
　 (혈압, 산소포화도, 호기말이산화탄소분압, 혈액 검사 등)
③ 12 유도 심전도를 시행하여 관상동맥 확장술(Percutaneous Coronary Intervention, PCI)의 시행 여부 판단
④ 목표체온유지치료(Targeted Temperature Management, TTM) 수행 여부 판단

◉ # 1 시나리오

〈 시나리오 상황 〉

50세 당뇨가 있는 남자환자가 발치를 위해 내원하였다. 치통과 함께 30분 전부터 가슴이 쥐어짜듯이 아프다고 한다. 치과 치료를 받기 위해 유닛 체어에서 기다리던 중 의식이 없어졌다. 응급처치해 보자.

표 10-2-3. 단계별 학습성과

심전도 리듬	학습성과	추가 고려사항
심전도 모니터 부착 전	환자의 반응확인하기 심정지 방송하기 제세동기 요청하기 호흡, 맥박 동시에 확인하기 가슴압박 시작하기 리더 인지와 팀 역할 부여하기	
VF	VF리듬을 인지하고 알리기 빠른 제세동 실시하기 가슴압박 실시하기	– 고품질의 심폐소생술 지시 – 팀원의 역할 수행 독려 – Pulseless VT 리듬 시 맥박확인 실시
Sinus tachycardia (HR 110회/분) 의식수준 : Alert	2분 후 리듬 분석하기 ROSC 인지하고 알리기 반응확인하기 활력징후 측정하기 TTM, PCI 여부 결정하기	

◎ # 2 시나리오

〈 시나리오 상황 〉

62세 당뇨, 고혈압을 가진 남자 환자가 유닛 체어에서 근관치료를 받고 있다. 환자는 간헐적인 가슴두근거림의 과거력이 있다. 치료 중 환자가 의식이 없는 것을 발견했다. 응급처치해 보자.

표 10-2-4. 단계별 학습성과

심전도 리듬	학습성과	추가 고려사항
심전도 모니터 부착 전	환자의 반응확인하기 심정지 방송하기 제세동기 요청하기 호흡, 맥박 동시에 확인하기 가슴압박 시작하기 리더 인지와 팀 역할 부여하기	
VF	VF리듬을 인지하고 알리기 빠른 제세동 실시하기 가슴압박 실시하기	– 고품질의 심폐소생술 지시 – 팀원의 역할 수행 독려 – Pulseless VT 리듬 시 맥박확인 실시
VF	2분 후 리듬 분석하기 지속적 VF를 인지하고 알리기 빠른 제세동 실시하기 가슴압박 시작하기 Epinephrine 1 mg 투여하기 20 mL N/S 투여와 팔들기(10~20초)	
Sinus tachycardia (HR 90회/분)	2분 후 리듬 분석하기 ROSC 인지하고 알리기 반응확인하기 활력징후 측정하기 TTM, PCI 여부 결정하기	– 심정지 후 통합치료

◉ # 3 시나리오

〈 시나리오 상황 〉

3시간 전 하악골절 수복 수술을 마친 33세 남자환자가 병실에서 회복 중이다. 30분 후 호흡곤란이 시작되어 보호자가 의료진에게 알리러 간 사이에 환자의 의식이 소실되었다. 응급처치해 보자.

표 10-2-5. 단계별 학습성과

심전도 리듬	학습성과	추가 고려사항
심전도 모니터 부착 전	환자의 반응확인하기 심정지 방송하기 제세동기 요청하기 호흡, 맥박 동시에 확인하기 가슴압박 시작하기 리더 인지와 팀 역할 부여하기	
Asystole	Asystole 리듬을 인지하고 알리기 가슴압박 실시하기 Epinephrine 1 mg 투여하기 20 mL N/S 투여와 팔들기 (10~20초)	– 고품질의 심폐소생술 지시 – 팀원의 역할 수행 독려
Sinus bradycardia (HR 40회/분)	2분 후 리듬 분석하기 ROSC 인지하고 알리기 반응확인하기 활력징후 측정하기 TTM, PCI 여부 결정하기	– 심정지 후 통합치료

◉ # 4 시나리오

〈 시나리오 상황 〉

　신부전으로 투석 중인 53세 여자 환자가
심한 치아 우식증으로 발치를 시행하였다. 그
런데, 발치 후 유닛체어에서 의식을 잃었다.
응급처치해 보자.

표 10-2-6. 단계별 학습성과

심전도 리듬	학습성과	추가 고려사항
심전도 모니터 부착 전	환자의 반응 확인하기 심정지 방송하기 제세동기 요청하기 호흡, 맥박 동시에 확인하기 가슴압박 시작하기 리더 인지와 팀 역할 부여하기	
PEA	모니터 리듬을 보고 맥박 확인하기 PEA 리듬을 인지하고 알리기 가슴압박 실시하기 Epinephrine 1 mg 투여하기 20 mL N/S 투여와 팔 들기 (10~20초)	– 고품질의 심폐소생술 지시 – 팀원의 역할 수행 독려
PEA	모니터 리듬을 보고 맥박 확인하기 PEA 리듬을 인지하고 알리기 가슴압박 실시하기 H's & T's 확인한 후 교정하기	– 고품질의 심폐소생술 지시 – 팀원의 역할 수행 독려 – 전문기도유지술 고려하기 – H's & T's 확인하기
Sinus rhythm (HR 60회/분 Tall T wave)	2분 후 리듬 분석하기 ROSC 인지하고 알리기 반응확인하기 활력징후 측정하기 TTM, PCI 여부 결정하기	– 심정지 후 통합치료

◉ # 5 시나리오

〈 시나리오 상황 〉

당뇨, 고혈압, 심근경색의 병력이 있는 76세
여자 환자가 치과치료 도중 호흡곤란 증세를
보이더니 의식이 없어졌다. 응급처치해 보자.

표 10-2-7. 단계별 학습성과

심전도 리듬	학습성과	추가 고려사항
심전도 모니터 부착 전	환자의 반응 확인하기 심정지 방송하기 제세동기 요청하기 호흡, 맥박 동시에 확인하기 가슴압박 시작하기 리더 인지와 팀 역할 부여하기	
VF	VF리듬을 인지하고 알리기 빠른 제세동 실시하기 가슴압박 실시하기 Epinephrine 1 mg 투여하기 20 mL N/S 투여와 팔 들기 (10~20초)	– 고품질의 심폐소생술 지시 – 팀원의 역할 수행 독려 – Pulseless VT 리듬 시 맥박확인 실시
Asystole	2분 후 리듬 분석하기 Asystole 리듬을 인지하고 알리기 가슴압박 실시하기	– 고품질의 심폐소생술 지시 – 팀원의 역할 수행 독려 – 전문기도유지술 고려하기 – H's & T's 확인하기

심전도 리듬	학습성과	추가 고려사항
PEA	2분 후 리듬 분석하기 맥박확인하기 PEA 리듬을 인지하고 알리기 가슴압박 실시하기 Epinephrine 1 mg 투여하기 20 mL N/S 투여와 팔들기 (10~20초)	– 고품질의 심폐소생술 지시 – 팀원의 역할 수행 독려 – 전문기도유지술 고려하기 – H's & T's 확인 후 교정하기
Sinus tachycardia (HR 110회/분)	2분 후 리듬 분석하기 ROSC 인지하고 알리기 반응확인하기 활력징후 측정하기 TTM, PCI 여부 결정하기	– 심정지 후 통합치료

10-3

응급 상황 시뮬레이션 훈련
- 치과응급 및 긴급 시나리오

지 성 인

교육 목표

– 치과에서 발생 가능한 응급 및 긴급
  상황을 이해하기

표 10-3-1. 치과응급 및 긴급 시나리오의 전체 구성

치과응급 및 긴급 유형		증상	처치
의식 소실	Vasovagal syncope	실신, 창백, 식은 땀, 서맥, 저혈압 심한 불안 동반	수평으로 눕히고, 다리를 들어올림, 산소 투여, 생징후 모니터링
	Postural hypotension	갑작스런 자세 변화 불안 정도와 관계 없음	
	Hypoglycemia	불분명한 발음, 행동 변화, 식은 땀, 빠른 맥박, 불안, 의식 소실	즉시 오렌지 주스, 포도 당 음료 혹은 설탕 덩어 리를 줌, 의식 소실 시 비경구 치료 필요
	Seizure	갑작스런 의식 소실, tonic phase에서 일시적 무호흡 및 청색증, clonic phase에 서 사지의 불수의적 운동	옆으로 눕히고 손상으로 부터 보호, 생징후 모니터링, 산소 투여, 반복시 의뢰

치과응급 및 긴급 유형		증상	처치
호흡 이상	Hyperventilation	호흡곤란, 빠른 호흡, 실신, 사지 이상감각 호소, 심계항진 심한 불안 동반	숨을 천천히 쉬게 함, 종이봉투를 대고 내뱉은 숨을 다시 들이마시게 함
	Asthmatic attack	호흡곤란, 청색증, 천명증(wheezing) 천식 병력 기도 감염	안심시키고 기관지 확장제(Albuterol) 사용
	Anaphylaxis	점막의 부종, stridor, wheezing, 무호흡, 순환붕괴, 심정지	119를 부름, 기도를 막는 다른 원인 체크, 1:1,000 Epinephrine 0.01 mg/kg IM 5분마다 반복 투여 필요, 100% 산소 투여, 심정지 시 CPR
혈관 질환	Angina pectoris	중등도~심한 중앙부 흉통에서부터 왼팔, 목, 혹은 아래턱으로 방사되는 통증	치료 즉시 중단, Sublingual Nitroglycerin tablet 0.6 mg 투여, 5분 뒤 혈압 측정 후 반복 투여, 5분 간격으로 주시하다가 15분 후에도 나아지지 않으면 AMI와 같이 치료
	Acute myocardial infarction (AMI)	협심증 유사 흉통 10분간 3 Nitroglycerin tablet을 투여해도 안정되지 않음 협심증 환자 중 평소보다 통증이 심하거나 처음 느끼는 강도의 통증일 경우 의심됨	119를 부른다. 생징후 관찰, 100% 산소 투여, 용해된 aspirin tablet과 nitroglycerin 투여하고 5분 뒤 한 번 더 혈압 측정 후 투여
	Ischemic stroke	편측마비	인지하고 119에 신고

- 진단 받지 않았거나 확인되지 않은 기저질환이 있거나,
  또는 기존 병력이 없이도 발생할 수 있음을 명심하여야 한다.

◉ # 1 Vasovagal syncope 시나리오

치과치료 전 심한 불안을 보이던 24세 여자
환자가 치과진료를 위해 국소마취를 하려는데
갑작스럽게 의식을 잃었다. 응급처치해 보자.

표 10-3-2. 단계별 학습성과

증상	학습성과	추가 고려사항
갑작스런 의식 소실	진료 중지 응급구조체계 활성화 Monitor 요청 Oxygen 요청	심한 불안감 동반 식은 땀을 흘리고 어지러워 하는 등의 전구증상 가족력
Hypotension Bradycardia	Supine position 다리 올리기 호흡이 있으면 암모니아나 알코올로 자극 찬 수건을 얼굴에 댄다	
의식 회복		

❯ # 2 Postural hypotension 시나리오

24세 여자 환자가 사랑니 발치 치료를 마치고 체어에서 일어나려다가 갑자기 의식을 잃었다. 선생님은 주치의로서 챠팅을 하다가 환자가 쓰러지는 것을 목격했다. 응급처치해 보자.

표 10-3-3. 단계별 학습성과

증상	학습성과	추가 고려사항
갑작스런 의식 소실	진료 중지 응급구조체계 활성화 Monitor 요청 Oxygen 요청	갑작스런 자세 변화 동반 위험군 – 고령, 임신 중인 여성, Addison 씨 병 등 불안과 관계 없음
의식 회복		

⊙ # 3 Hypoglycemia 시나리오

치주과에서 80세 할아버지가 치료 도중 말이 어눌해지고 의식이 떨어지고 식은 땀을 흘리고 이상한 말을 하며 치료에 협조가 되지 않을 정도로 발버둥을 친다. 응급처치해 보자.

표 10-3-4. 단계별 학습성과

증상	학습성과	추가 고려사항
의식저하 식은 땀	진료 중지 응급구조체계 활성화 Monitor 요청 Oxygen 요청 병력 재확인	당뇨 병력 금식
	혈당 측정	
혈당 < 50 mg/dL	Liquid containing sugar 제공	
갑작스런 의식 소실	Glucose paste or 글루카곤 주사	
의식 회복		

❯ # 4 Seizure 시나리오

평소 경련 병력이 있던 4세 환아가 치과진료를 진행 중에 떨기 시작한다. 응급처치해보자.

표 10-3-5. 단계별 학습성과

증상	학습성과	추가 고려사항
경련	진료 중지 응급구조체계 활성화 Monitor 요청 Oxygen 요청	러버댐, 개구기를 비롯 구강 내의 모든 기구를 제거한다.
	환자가 다치지 않는지 주의하면서 경련이 끝나길 기다린다.	환자를 절대 붙잡거나 속박하지 않는다. 떨어지는 일이 없도록 하고 주변의 위험요소를 치운다.
반복되는 경련	Refer to EMS	

❱ # 5 Hyperventilation 시나리오

심한 불안감을 보이던 24세 환자가 치과진료 도중 호흡에 어려움을 호소한다. 응급처치해 보자.

표 10-3-6. 단계별 학습성과

증상	학습성과	추가 고려사항
호흡 이상	진료 중지 응급구조체계 활성화 Monitor 요청 Oxygen 요청	심한 불안감 동반
RR > 35/min	환자를 진정시킨다.	
증상 지속	Paper bag (진료실 종이컵)을 이용해 환자가 뱉은 숨을 다시 마실 수 있게 한다.	산소를 주면 안 된다.
정상호흡 회복		

❂ # 6 Asthmatic attack 시나리오

감기에 걸린 42세 여자 환자가 치과 치료를 진행 중에 얼굴이 파랗게 질리며 호흡이 이상 하였다. 응급처치해 보자.

표 10-3-7. 단계별 학습성과

증상	학습성과	추가 고려사항
호흡 이상 청색증	호흡곤란의 인지 진료 중지 코드블루(Code blue) MOB 요청 환자를 안심시킨다.	천식 병력 기도 감염 심한 불안감 동반 가능
Wheezing sound	Albuterol	Difficulty in exhalation
정상호흡 회복		

❯ # 7 Anaphylaxis
시나리오

척추 이분증(spine bifida)이 있는 32 kg, 10세 여자 어린이의 진정을 위해 midazolam 5 mg을 볼기 부위에 근육 주사하고, 30분 후, 치과체어에 앉혔다. 코마스크를 통해 O_2 와 N_2O를 투여하여 환자를 원하는 진정 정도까지 적정 후에, 라텍스 장갑을 끼고 치료를 시작하였다. 5분 이내에 환자의 입술과 눈이 눈에 띄게 붓기 시작했다. 응급처치해 보자.

표 10-3-8. 단계별 학습성과

증상	학습성과	추가 고려사항
갑작스런 심한 부종	부종의 인지 진료 중지 코드블루(Code blue) MOB 요청	알러지 병력 동반 가능
의식이 희미해짐 산소포화도 감소 혈압 하강	기도유지장치 산소투여	부가적인 기도확보 장비 준비
호흡곤란, 협착음(stridor)	1:1,000 Epinephrine IM 0.01 mg/kg	
기침, 구역, 전신적인 움직임	기도유지장치 제거 산소 계속 공급	
산소포화도 회복		
정상호흡 회복	Refer to EMS	

⊘ # 8 Angina pectoris ➡ Acute myocardial infarction 시나리오

50세 남자 환자가 발치 도중 갑작스럽게 가슴의 통증을 호소한다. 응급처치해 보자.

표 10-3-9. 단계별 학습성과

증상	학습성과	추가 고려사항
갑작스런 흉통 호소	진료 중지 응급구조체계 활성화 Monitor 요청 Oxygen 요청 환자를 안심시킨다.	고혈압 Hx. 동반 가능 (Aspirin 등 복용) 협심증 Hx. 동반 가능
증상 지속	Sublingual Nitroglycerin 0.6 mg	
증상 지속	5분 간격 반복 투여	
15분간 증상 지속	산소투여 Aspirin chewing 160~325 mg	
	Refer to EMS	

❯ # 9 Ischemic stroke
시나리오

65세 여자 환자를 상담하던 중 환자의 말
이 갑작스럽게 어눌해졌다. 응급처치해 보자.

표 10-3-10. 단계별 학습성과

증상	학습성과	추가 고려사항
어눌해진 말투 편측마비	진료 중지 응급구조체계 활성화 Monitor 요청 Oxygen 요청	
	Refer to EMS	

11-1

치과에서의 응급 시스템 구축
- 응급처치 준비물

김 종 빈

◈ 응급키트의 구성(총 2세트)

분류	품명	설명	모델/제작사	필요량
기도 유지 장비	Nasal cannula	성인용	Softech Plus ETCO$_2$ sampling cannula	1 box
		소아용		1 box
	산소마스크	성인용		2 개
		소아용		2 개
	Pocket mask	성인용		2 개
		소아용		2 개
	Bag-valve mask	성인용		2 개
		소아용		2 개
	Oropharyngeal airway	사이즈별		2 set
	Nasopharyngeal airway	사이즈별		2 set
	LMA	사이즈별 벌룬용 시린지		2 set
	i-gel	사이즈별		2 set

분류	품명	설명	모델/제작사	필요량
기도 유지 장비	Magill 겸자			2 개
	후두경 세트	Curved (Macintoch 형) – no. 2,3 Straight (Miller 형) – no. 1,2,3		2 set
	Endotracheal tubes	커프 없는 것 2.5, 3.0, 3.5, 4.0, 4.5, 5.0, 5.5, 6.0 커프 있는 것 6.0, 7.0, 8.0		2 set
	Stylette	성인용		2 개
		소아용		2 개
	윤활제 (lidocaine jelly)			2 개
	반창고			1 box
	드레싱 가위			2 개
	Portable suction	단독 전원		2 개
	Suction catheter	Size 10,14		사이즈별 1 box
	양카석션튜브			5 개
	Nasogastric tube			2 개
	Nebulizer			2 개
	청진기			4 개

분류	품명	설명	모델/제작사	필요량
IV/IO 장비	클립형 토니켓			10 개
	알코올솜			
	장갑			
	Normal saline 500 ml			
	Lactated Ringer solution 500 ml			
	5% DW 500 ml			
	수액세트(IV tubing)	Pediatric drip 60 drops/ml Pediatric burette Adult drip 10 drops/ml		
	IV catheter	16,18,20,22, 24 G		
	IV extension tube			
	3-way stopcock			
	Pediatric IV board			
	IV needle	18,20,22,25 G		
	Intraosseous infusion system kit			2 set
	Straight hemostat			2 개
	Syringe	1,3,5,10,30 ml		
	생리식염주사액 20 ml			
	멸균 거즈			

분류	품명	설명	모델/제작사	필요량
약물	에피네프린	유통기한 고려하여 주기적 교체 필요하므로 최소 수량으로 구입하되 카트 별로 한 개씩은 반드시 구비되어 있어야 함		2 개
	아트로핀			2 개
	리도케인			2 개
	Nitroglycerin 0.4 mg/tablet 1통			2 개
	Albuterol inhaler			2 개
	Aspirin 100 mg/tablet			2 개
	Diphenhydramine 50 mg/ml			2 개
기타	Pen-light			2 개
	체온계			2 개
	혈당계			2 개
	혈압계			2 개
	압박붕대			2 개

* 일부 품목 유통기한 고려

11-2
치과에서의 응급 시스템 구축 - 응급약물

◉ 심정지 시 사용하는 약물

(1) 에피네프린

심실세동/무맥성 심실빈맥, 무수축/무맥성 전기활동 치료에 있어서 혈압상승제 사용이 환자의 퇴원생존율을 증가시킨다는 증거는 없다. 그러나 심박출량과 혈압을 최적화하고 뇌와 심장의 관류압을 향상시킬 수 있어 소생술에 사용한다.

에피네프린은 아드레날린성 수용체를 자극시켜 혈관을 수축하여 혈압과 심박수, 뇌와 심장의 관류압을 증가시킨다. 작용시작 시간은 1~2분, 지속시간은 2~10분으로 모두 짧다. 에피네프린을 고농도나 증량된 용량으로 단계적으로 사용하는 것은 효과가 없어 권장되지 않는다. 제세동이 필요 없는 환자는 가능한 조기에 투여한다. 말초정맥으로 투여할 경우 매번 수액을 20 mL 덩이주사하고 사지를 심장 높이 이상으로 20초간 올려야 한다. 심정지 시 에피네프린을 1 mg IV/IO, 3~5분마다(또는 가슴압박 두 번 교대마다) 반복 투여한다. 증상 있는 서맥 환자 혹은 심장박동 조율(pacing) 실패 환자에서 고려될 수 있다.

그림 11-2-1. 에피네프린

에피네프린린의 부작용

에피네프린은 심근 산소소모량을 증가시키고 심근허혈을 악화시킬 수 있다. 증가된 후부하는 심박출량을 감소시킬수 있으며 환자가 자발순환회복 상태가 되면 고혈압, 빈맥, 부정맥이 생길수 있다.

(2) 리도카인

총 2~3회의 제세동에도 심실세동/무맥성 심실빈맥이 지속될 때는 심폐소생술과 혈압상승제의 투여와 별도로, 리도카인 사용을 고려한다. 이 약물들은 소생 후에도 유지치료를 위해 사용할 수 있다.

- 1회 투여용량: 1~1.5 mg/kg IV/IO
- 필요한 경우 5~10분 이상 간격을 두고 최고 3 mg/kg까지 0.5~0.75 mg/kg IV/IO을 반복투여 가능

◉ 비심정지 상황에서 사용하는 약물

아트로핀(Atropine)

아트로핀은 부교감신경차단제로 미주신경 활동을 억제해 동방결절의 자동성과 방실 전도를 증가시킨다. 작용이 신속하고, 5분 내에 심박수 증가가 최대로 일어난다. 반감기는 2~3시간이다.

그림 11-2-2. 아트로핀

적응증

- 증상이 있는 서맥
- 방실결절 부위의 전도차단
- 동정지 환자에서 비약물적 치료인 경피 인공심장박동조율이나 경정맥인공심장박동조율을 준비하는 동안의 임시 조치

아트로핀은 정주로 0.5 mg을 3~5분마다 투여할 수 있으며 총 3 mg까지 사용 가능하다.

i 아트로핀 사용 시 주의할 점

1. 아트로핀을 0.5 mg 미만으로 투여 시에는 역설적으로 심박동수를 더 느리게 할 수 있기 때문에 0.5 mg 이하는 투여하지 않는다

2. 관류저하로 인한 증상과 징후를 보이는 서맥 환자에서 아트로핀 투여로 인공심장박동조율 치료를 지연시켜서는 안 된다.

3. 급성 관동맥 허혈이나 심근 경색이 있는 경우에 아트로핀은 심박동수를 증가시켜 심근허혈을 악화시키고 경색 부위를 증가시킬 수 있다.

4. 심장 이식 환자는 심장 이식 수술로 미주신경이 심장에 연결되어 있지 않기 때문에 효과가 없다. 오히려 심박동수가 느려지고 고도의 방실차단이 발생할 수 있다.

약물	용량
에피네프린	– 심정지: 1 mg (10 ml 1:1,000)을 3~5분 마다 사용 – 1:1,000 에피네프린을 성인 0.3 mg, 소아 0.15 mg, 영아의 경우 0.075 mg 근주
리도카인	– 심폐소생술에 반응이 없는 심정지의 심실세동/심실빈맥 아미오다론이 없는 경우 사용 – 초기 용량: 1~1.5 mg/kg 덩이 주사 – 두번째 용량: 0.5~0.75 mg/kg 총량이 초기 한 시간 동안 3 mg/kg 를 넘지 않도록 함
아트로핀	– 서맥 시: 0.5 mg을 3~5분 마다 필요시 사용 (최대 용량 3 mg)
히드로코르티손	– 알레르기 시 125 mg 정주
항히스타민제	– 용량은 1앰플 근주

찾아보기